ENFIN LA 6ᵉ !

© Éditions Play Bac, 2014
Éditions Play Bac, 33, rue du Petit-Musc, 75004 Paris, France
www.playbac.fr

FABRICE COLIN

ENFIN LA 6e !

playBac

CHAPITRE 1

Septembre

SARAH

S ans mentir : la rentrée en sixième est le truc le plus flippant de l'univers planétaire intersidéral. L'ironie de la chose, c'est qu'il s'agit également de l'événement que vous attendez depuis le moment où, genre, vous êtes capable de déchiffrer votre nom. Au matin fatidique, c'est comme si le petit démon « panique totale » avait donné rendez-vous au petit ange « excitation folle » pour un duel à mort sur la place de votre cœur. Et c'est comme si ce duel se répétait tous les jours depuis lors.

À quoi ressemble mon collège ? Eh bien, pour commencer, la cour est si vaste qu'on mourrait probablement de soif si on essayait de la traverser d'une extrémité à l'autre (j'avoue, je n'ai jamais tenté ; il faudrait d'abord que je repère le trajet sur un atlas). L'établissement lui-même est un genre de labyrinthe-de-la-mort-qui-tue-et-qui-fait-mal avec des couloirs sans fin et des portes toutes identiques dont quelqu'un, apparemment, prend plaisir à changer les numéros pendant la nuit. Le premier jour, je me suis perdue quatre fois. Le deuxième jour, trois. « Élève en progrès », a commenté mon père au téléphone. Ah, ah, trop marrant, p'pa.

Il y a six classes de sixième au collège Ronsard* et la mienne est la sixième 6, évidemment – celle qui est appelée en dernier le jour de la rentrée. Je suis maudite.

Tenez, voici le début de l'e-mail que j'ai écrit à ma meilleure copine le premier soir après avoir lâché mon sac de huit tonnes dans le couloir (et après que ma mère m'a demandé de ranger ledit sac dans-ma-chambre-tout-de-suite parce que

---

* Pierre de Ronsard, voir p. 135.

Septembre

« pas question que ça reparte comme l'année dernière, hein !? »).

De : Sarah
À : Alice
Objet : Re : La rentrée !!

Chère Alice,
Je suis enfin venue à bout de ce premier jour. Moi aussi, je me sens hyper-seule. Pas seulement parce qu'on vient de déménager dans cette ville gigantesque et pourrie où je ne connais strictement personne. Pas seulement parce que tu habites désormais dans un pays situé à 19 200 km de la France et que tu me manques à chaque seconde de chaque minute de chaque heure de chaque jour de l'éternité tout entière. Je ne sais pas comment ça se passe pour toi de l'autre côté de la planète mais ici, c'est juste… Je n'arrive pas à trouver un meilleur mot que « spécial ».

Notre prof principale s'appelle madame Destouches. « Oui, oui, comme l'écrivain », elle a expliqué le premier matin en faisant son entrée. Et elle a claqué sa sacoche sur sa table. Puis, notant nos airs ahuris : « Louis-Ferdinand Céline*. Ça vous parle quand même un tantinet, j'espère ! » Euh, non, madame. En tout cas, elle est ultra-sévère. Dès la deuxième heure, elle nous a collé une dictée. Il paraît que la note ne va pas compter et que c'est « juste pour voir ». Eh bien tant mieux, hein. Parce qu'à mon avis, je vais me ramasser un C-.

En fait, je n'ai pas eu un C− ce jour-là : j'ai eu un 9/20. Mais, d'après mes calculs, ça revient grosso modo au même.

Le soir venu, à table, ma mère m'a demandé de lui raconter ma première journée « avec tous les détails ». Le problème, c'est qu'il s'était passé tellement de choses que je n'ai pas été fichue de m'en rappeler la moitié, et que ma mère a cru que

* Louis-Ferdinand Céline, voir p. 135.

Septembre

je le faisais exprès.

Je suis assise au premier rang, à gauche près de la fenêtre, à côté d'un garçon 100 % crétin qui s'appelle Romain et qui est arrivé en classe avec un bras dans le plâtre – accident de parapente, paraît-il, mais ce type a l'air d'être un menteur redoutablement nul. Maintenant, on n'a plus le droit de changer de place avant la fin du premier trimestre, sauf pour aller en gym, en SVT, en arts plastiques ou en musique. Gé-nial.

Nos profs sont sympas dans l'ensemble, sauf madame Destouches, qui ne sourit que quand elle nous rend des notes en dessous de la moyenne (c'est-à-dire à peu près tout le temps), et monsieur Benhamou, le prof d'EPS, qui nous fouetterait sûrement si c'était autorisé par le règlement.

La prof la plus cool, c'est mademoiselle Lefort, en anglais : elle est super-jeune, super-drôle et super-belle. Le premier jour, elle nous a passé un épisode des *Simpson* spécial Halloween avec les sous-titres ; tous les garçons de la classe sont amoureux d'elle. Le reste de l'équipe, ça va du « correct mais sans plus » (histoire-géo, techno) à l'endormie (arts plastiques, la matière la plus importante pour moi vu que je veux travailler chez Pixar plus tard), en passant par le bavard (« mon but n'est pas que vous m'aimiez aujourd'hui, mais que vous me remerciiez dans dix ans », j'ai nommé notre prof de maths).

Pour être honnête, ce n'est pas *tout à fait* aussi horrible que je le pensais. Ce qui m'embête surtout, c'est que, plus j'essaie de bien faire, plus ça se passe mal. Ô fatalité funeste ! Aujourd'hui par exemple, c'est la quatrième fois que j'oublie mes devoirs à la maison. La prochaine, m'a avertie madame Destouches, ce sera une heure de colle. Dans la classe, sept élèves ont déjà été collés.

De : Sarah
À : Alice
Objet : Re : Re : Re : La rentrée !!

Chère Alice,
Pour répondre à ta question : oui, nous

Septembre

aussi, on a <u>toutes</u> nos notes sur Internet,
et nos parents peuvent même savoir si on
a oublié de faire nos devoirs. L'enfer !

Madame Destouches nous a assurés qu'on
lirait d'ici un ou deux ans un livre qui
s'appelle *1984** dans lequel la situation
est « largement pire » que la nôtre,
mais je crois qu'elle bluffe.

Hier, j'ai eu un 11/20 en maths. Comme
j'avais oublié mon livre au collège,
je n'ai pas pu réviser, donc, en fait,
11, ce n'est pas si mal. Mais ma mère
ne l'a pas analysé comme ça, elle, elle
s'est mise à crier, elle m'a demandé si
je savais où j'avais mis ma tête (euh…),
après quoi, mon père en a rajouté une
couche au téléphone (selon lui, je suis
supposée être la top-of-the-stars en maths
uniquement parce qu'en primaire j'ai eu
des A pendant cinq ans) et le résultat,

* *1984*, voir p. 135.

c'est que j'ai carrément pété les plombs
— je lui ai dit que cette note, c'était
sa faute, et qu'il avait qu'à être là
pour me forcer à vérifier le contenu de
mon sac. Ma mère a repris le combiné et
elle s'est enfermée dans la cuisine afin
que je n'entende pas ce qu'elle racontait,
mais je pense qu'elle et mon père se sont
disputés parce que, quand elle est sortie,
elle m'a dit « file dans ta chambre »,
puis « je t'ai assez vue pour la journée »
alors que ça ne faisait même pas dix minutes
que j'étais rentrée.

Non, ne vous faites pas d'idées : mes parents
ne sont pas divorcés. C'est juste que mon père est
resté dans le Sud pour son travail, il est censé nous
rejoindre bientôt. Quand ?

Ah, je me rends compte que je n'ai pas encore

Septembre

parlé du plus important : les autres élèves.

J'ai un problème. Je n'arrive pas à me faire des amies. Le premier matin, je me suis encouragée moi-même. Allez, vas-y, attaque ! Au bout de trois jours, j'avais réussi à aborder presque toutes les filles de la classe, et j'ai pensé que c'était gagné.

Mais ce n'était pas gagné *du tout*.

La plupart des sixièmes de Ronsard se connais-saient avant le collège, ils étaient déjà ensemble en primaire, ou bien voisins de palier, etc., et moi, je suis aussi seule que si je débarquais de la planète Mars. À la cantine, personne ne se pousse pour me faire de la place.

Quant à Alice-ma-meilleure-amie-pour-la-vie, vous l'aurez compris, je ne suis pas près de la revoir. Ses parents auraient pu déménager dans le Péri-gord ou en Belgique, à la rigueur, mais non. Ils ont choisi la Nouvelle-Zélande, le pays le plus éloigné du monde. Merci la vie.

TOM

Dans ma classe, il y a cette fille style « seule au monde » dont la meilleure amie habite en Nouvelle-Zélande. Elle nous a raconté ça la semaine dernière en histoire-géo quand madame Mercier a demandé si nous étions déjà allés dans d'autres pays. « Donc, a conclu maladroitement Sarah (la fille en question), en vrai, je n'y suis jamais allée, mais j'espère combler ce manque bientôt. » Des petits malins ont ricané. « Dans tes rêves ! » a même lancé l'un d'eux du fond de la classe. Madame Mercier n'a pas relevé, mais elle a fait remarquer à Sarah qu'un voyage en Nouvelle-Zélande risquait de coûter très cher. L'intéressée a baissé la tête, et on est passés à son voisin qui a expliqué qu'il était déjà allé trois fois en Corse, cet idiot.

À la récréation de midi, après le déjeuner, je suis parti trouver cette fille.

– Elle habite où, en Nouvelle-Zélande ?

Elle m'a regardé comme si j'appartenais au FBI.

Septembre

– Hein ?

– Ta copine. Celle dont tu as parlé.

– Ah ! Euh, à Auckland.

– La région des petits volcans éteints.

Ses yeux se sont agrandis.

– Tu connais ?

J'ai hoché la tête.

– Je n'y suis jamais allé personnellement non plus. Mais oui, on peut dire que je connais. C'est un pays que j'ai étudié de long en large.

– Pourquoi ?

J'ai souri.

– Parce que c'est là-bas qu'a été tourné le meilleur film de tous les temps.

Visiblement, elle attendait la chute.

– *Le Seigneur des anneaux**, ai-je précisé.

Un vent pas très chaud faisait voltiger les premières feuilles d'automne. D'un geste qui m'a moi-même surpris, j'en ai attrapé une au passage.

Sarah a acquiescé, pensive. Avait-elle seulement entendu parler de Tolkien ? J'espérais que oui. J'espérais que nous allions discuter pendant

* *Le Seigneur des anneaux*, voir p. 136.

des heures. Avec un peu de chance, elle était fan, elle avait tapissé les murs de sa chambre de posters de Gandalf et d'Aragorn, et elle allait me transmettre l'e-mail de son amie d'Auckland pour que je corresponde avec elle.

Mais elle s'est contentée de hausser les épaules.

– Si la mission des parents d'Alice se passe bien, a-t-elle annoncé, ils doivent rester cinq ans là-bas. J'espère qu'elle se passera mal.

J'ai rabattu mon écharpe sur mon épaule en détournant le regard. Deux types de quatrième arrivaient en roulant les mécaniques. Ils m'ont tapé dans la main au passage.

– Yo, petit Tom !

Sarah les a regardés s'éloigner.

– Dis donc, t'en connais du monde.

J'ai poussé un soupir.

– Mes deux frères étaient élèves ici.

– Oh.

Elle devait faire partie des rares élèves de Ronsard à n'avoir jamais entendu parler de mes frères.

Septembre

Mathieu et Jeremy Delavergne. Mes si doués, mes si incroyables frangins.

Le jour de la rentrée, quand les professeurs ont découvert mon nom sur la feuille d'appel, ils m'ont tous jeté un regard entendu. Et je me suis ratatiné sur ma chaise.

Si on devait établir un classement des élèves les plus brillants jamais passés par Ronsard, mes frères se hisseraient certainement ensemble sur le podium. Mais ils ne sont plus là, à présent. Mathieu est entré dans le plus prestigieux lycée de la ville et Jeremy… Jeremy, c'est une autre histoire.

Et moi je me retrouve seul, ici, à leur succéder. C'est mon tour de porter les espoirs de la famille et ces espoirs, je les décevrai forcément parce qu'en vérité, et contrairement à eux, je suis affligé d'un redoutable problème : je suis normal.

Bref, la sonnerie a retenti, et nous sommes retournés en classe. J'ai passé tout le cours suivant à rêvasser. J'étais Legolas, arpentant les plaines du Rohan, et…

– Tom Delavergne ?

J'ai relevé la tête. Tripotant son stylo, madame Destouches attendait une réponse à propos de l'accord des participes passés employés avec l'auxiliaire « avoir ». J'ai regardé ce qui était écrit au tableau et j'ai repéré le piège. Les pommes que j'ai mangées : « ées ».

Elle a paru déçue.

– Hé, petit Tom !

17 heures, sortie des classes. Avachi sur son scooter, Jordan me fait signe d'approcher. Jordan était l'un des meilleurs amis de Mathieu l'année dernière, mais ils ne sont pas allés dans le même lycée. Jordan porte une veste en daim et fume des cigarettes. Des lunettes de soleil réfléchissantes sont remontées sur son front alors que la chaussée est encore luisante de pluie.

– Pourquoi il répond pas à ses e-mails, ton frérot ?

– Il a plein de travail.

Septembre

Jordan ricane, et je pars me poster à l'arrêt de bus avec les autres.

« Petit Tom. » Qu'est-ce qu'il m'énerve, ce surnom ! La dernière fois que je me suis mesuré (= ce matin), je faisais 1,31 m. Encore et toujours 1,31 m. Autant m'y préparer : je vais encore être la demi-portion de service.

Je me rappelle très bien le jour où j'ai vu *Le Seigneur des anneaux* pour la première fois. Je ne connaissais rien à la Terre du Milieu. Je n'avais jamais lu la moindre ligne du roman de Tolkien. Quand Frodon est apparu à l'écran, Mathieu m'a tapoté le genou. « Regarde ! C'est toi. Fais voir tes pieds. Tu as des poils ? »

Voilà ce que vous devez savoir sur moi : *non*, je ne suis pas un Hobbit. Non, je n'ai pas sauté une classe comme mes frères. Non, je ne suis pas le meilleur en quoi que ce soit – à part en français mais, d'après ma mère, c'est normal, c'est génétique.

Je grimpe les marches du perron. Ma mère, justement, se trouve dans la buanderie, occupée à vider la machine à laver. Ses paupières sont rougies. Elle me colle un baiser sur le front et elle me dit que ça va, mais je sais bien qu'elle ment.

Je monte direct dans ma chambre et je déballe mes affaires. Demain, nous avons un contrôle d'anglais et oui, j'étais censé réviser ce week-end sauf qu'à la place j'ai joué au *Seigneur des anneaux* en ligne sur l'ordinateur de Mathieu, qui ne s'est quasiment pas montré entre samedi et dimanche. Et à présent, je découvre que j'ai oublié mon livre au collège et que je vais devoir téléphoner à quelqu'un de la classe – et je ne sais même pas à qui.

Au moment de m'engager dans l'escalier, j'entends mon père et ma mère se hurler dessus à l'entrée de la cuisine.

La vie conjugale de mes parents est une pièce de théâtre assommante qu'ils rejouent tous les soirs et à laquelle, apparemment, nous sommes forcés d'assister.

Septembre

Tant pis pour l'anglais ; je ne descendrai pas télé-phoner. J'allume l'ordinateur de mon frère. J'imagine qu'il me mettra une petite claque sur la nuque pour la forme en rentrant, mais je suis aussi certain qu'il ne pensera pas pour autant à changer son mot de passe. Même les types les plus intelligents deviennent idiots quand ils tombent amoureux.

CHAPITRE 2

Octobre

SARAH

Sortie scolaire. Dans le jargon de Ronsard, on appelle ça un « voyage d'intégration ». L'idée, c'est que tous les élèves de la classe deviennent super-amis *forever*. Naturellement, si vous êtes toujours seule en octobre – ce qui est mon cas –, vous partez avec un handicap sévère. Inutile de se le cacher : ce voyage est ma dernière chance.

Nous mettons le cap sur Strasbourg, avec un détour par les villages typiques d'Alsace. Départ à 6 heures du matin et, je vous le donne en mille, qui arrive en retard parce que le réveil de sa mère a oublié de sonner ? Banco.

Devant les portes du car, madame Destouches tapote sa montre.

– Et alors ?

Monsieur Allard, notre prof de maths, est également du voyage parce que madame Mercier a une bronchite. Il soupire en attrapant mon sac.

Je grimpe dans le car. Bien sûr, il ne reste qu'une place et, bien sûr, je me retrouve à gauche de Baptiste, le petit gros de la classe, celui qui a vécu en Sardaigne et qui renifle tout le temps de façon écœurante. Il m'adresse le sourire le plus niais du monde.

– Merci de venir à côté de moi !

Comme si j'avais le choix.

Le voyage jusqu'à Strasbourg est interminable. Peu avant l'arrêt-pipi, Océane, la petite rousse qui lit Victor Hugo* *pour son plaisir*, se met à vomir de l'autre côté de l'allée centrale. Tout le monde pousse des exclamations dégoûtées, et madame Destouches emmène la malheureuse à l'avant du car avec son sac plastique.

* Victor Hugo, voir p. 136.

Octobre

À notre retour de la station-service, Laura, sa voisine, tapote la place à son côté. Elle a un téléphone portable : est-ce que je veux regarder ses photos de chevaux ?

Je ne me fais pas prier.

Deux heures plus tard, à moitié morts de faim, nous nous rangeons devant l'hôtel, et je suis presque déçue de descendre. Laura est vraiment sympa, en fait.

L'hôtel n'est pas vraiment un hôtel ; c'est une ancienne usine de confection transformée en dortoir. Il y a des chambres de trois et des chambres de quatre. Laura retrouve Pauline, sa soi-disant meilleure copine dont elle n'a pas arrêté de me dire du mal, et elle m'annonce que je peux venir avec elles. Trop cool ! Sitôt la porte fermée, Laura déclenche une bataille de polochons et nous roulons sur nos lits en gloussant comme des baleines (j'ai mis ce nom d'animal au hasard ; j'aime bien les baleines). La voix de madame Destouches, qui frappe à la porte, nous fige dans notre élan.

– En route, jeunes filles !

Déjà ? Bon, nous allons déjeuner dans un restaurant typique (salade de pommes de terre et saucisses – baaave !), puis nous remontons dans le car pour aller visiter un musée avec de grands murs blancs et des toiles trop bizarres.

Laura, Pauline et moi passons notre temps à mimer des peintres cinglés et madame Destouches finit par me coincer près de l'extincteur.

– J'attendais le moment où vous alliez me décevoir, Sarah. Je n'ai pas eu à patienter trop longtemps.

Planquées à l'autre bout, les deux autres se contentent de ricaner. J'essaie de me calmer, mais c'est difficile.

Le soir, devant l'horloge astronomique de la cathédrale de Strasbourg, Pauline me glisse une confidence : elle me trouve « plus délire » que Laura.

– Le problème de Laura, enchaîne-t-elle, c'est qu'elle est jalouse. Mais bon, tu gardes ça pour toi, hein ?

Elle me force à lever la main et à jurer. Puis elle m'attrape par le bras et me montre les cierges avec

Octobre

leurs petites flammes qui vacillent.

– Tu crois en Dieu ? Moi oui.

Le lendemain, après une nuit de sommeil beaucoup, BEAUCOUP trop courte (discussions et fous rires jusqu'à 3 heures du matin), nous reprenons le car pour le Haut-Kœnigsbourg. C'est un château médiéval assez incroyable planté au sommet d'une montagne. Monsieur Allard, qui semble avoir appris la brochure par cœur, entreprend de nous en conter l'histoire, mais personne ne l'écoute. Madame Destouches est de plus en plus excédée : deux élèves se perdent dès le début de la visite, et ce crétin de Romain se fait reconduire vers la sortie par un gardien parce qu'il a fait mine de voler une épée vieille de genre mille ans.

Au dernier étage du donjon, dans une grande salle spectaculaire avec des canons et des meurtrières, je manque rentrer dans Tom. Paupières closes, il a joint les mains devant son nez et on dirait qu'il prie. Je hausse un sourcil.

– Qu'est-ce que tu fabriques ?

Il rouvre les yeux.

– J'essayais juste de m'imaginer comment ça pouvait être avant.

Je hausse les épaules, englobe la salle d'un geste large.

– Eh bien, pareil. Mais sans touristes japonais.

– Tu ne comprends pas, murmure-t-il en posant une main sur un mur. Cette pierre est vivante. Elle se souvient.

– Elle *quoi* ?

– Le passé est une autre réalité, Sarah. Comme un monde imaginaire. Et nous pouvons y accéder par la pensée.

Il est gentil, ce garçon, mais peut-être qu'il devrait lire autre chose que *Le Seigneur des anneaux*. Je m'apprête à lui répondre lorsque Laura me tire par la manche.

– Tu viens ?

J'abandonne Tom à ses rêveries, et nous dévalons les marches de l'escalier en colimaçon en piaillant comme des tordues.

Octobre

L'après-midi est consacré à la visite d'un village typique et à l'achat de souvenirs pour les parents. Après quoi, retour à Strasbourg sous une pluie battante et dîner de gala dans l'un des plus anciens restaurants de la ville.

Nous repartons le lendemain vers midi et je m'assieds avec Pauline, qui a *beaucoup* insisté pour m'avoir avec elle. C'est drôle, j'ai l'impression de la connaître depuis des siècles alors qu'il y a deux jours nous ne nous étions jamais parlé.

Arrêt pique-nique. En remontant, je retrouve Laura installée à ma place.

– Ça te dérange si on échange ?

Elle et Pauline se mettent à feuilleter un magazine sur leurs chanteurs préférés, et c'est comme si je n'existais plus. Du coup, je me retrouve à côté de Mathilde, une fille pas méchante pour un sou mais à laquelle je n'ai absolument rien à dire à part « je suis désolée pour ton chat qui est mort » (ben oui, son chat s'est fait écraser par un camion poubelle, et c'est la seule anecdote que j'ai retenue à son sujet). Je suis perdue, là.

Le lendemain, c'est le week-end, et j'attends en vain un signe de Pauline, à qui j'ai donné le numéro de téléphone de la maison. Moi, son numéro, je ne l'ai pas. Mais j'ai l'e-mail de Laura. Je lui écris pour lui demander si tout va bien. Elle m'envoie une réponse super-bizarre. En gros, elle me reproche d'avoir essayé de lui piquer sa meilleure amie. « Pauline m'a raconté tout ce que tu lui avais dit dans la cathédrale. Franchement, je ne sais pas si j'ai envie qu'on soit encore copines. »

TOM

Vacances de la Toussaint, enfin ! Je pars seul chez ma tante et mon oncle à Lausanne. Ma mère dit que ça fera « du bien à tout le monde » mais en vrai, mon père et elle doivent être drôlement embêtés de rester seuls à la maison : étant donné que Mathieu n'est pas là non plus, ils n'ont plus personne devant qui se disputer.

Dans le train qui m'emmène en Suisse, je relis

Octobre

Les Deux Tours, le deuxième tome du *Seigneur des anneaux*. Tout le monde prétend que Tolkien est compliqué à lire ; apparemment, de nos jours, les ados préfèrent les romans « faciles », bourrés d'action et de dialogues. Même madame Rossi, au CDI, est étonnée que je ne m'intéresse pas à des livres plus *rapides*. Elle n'y comprend rien. Personne n'y comprend rien. Ce qu'il y a de génial, chez Tolkien, c'est précisément que ça ne va pas vite. Un monde immense, qu'on ne cessera jamais de découvrir. Éternel et parfait.

Les moyennes de la mi-trimestre sont arrivées par courrier juste avant mon départ. J'ai 18 en anglais, 16 en maths et 17 en français. Par rapport à mes frères, c'est moyen – ce que mon père ne s'est pas privé de me faire remarquer.

Je regarde par la fenêtre. Les prairies suisses, les forêts douces, les montagnes lointaines et les vaches, placides, qui nous regardent passer en rêvant.

Et si c'était ça, la vie ? Un paysage qui défile ?

On me demande ce que je veux faire plus tard. On me presse de parler de mes rêves, de mes projets, de mes espoirs, et j'élabore des réponses pleines d'imagination et d'astuce, mais ce sont des mensonges.

Tout va bien, en apparence. Les autres élèves m'apprécient, je les fais rire et, de temps en temps, il m'arrive même de rire avec eux. On pourrait croire que je suis heureux. Mais ça ne veut rien dire. Tout allait bien chez Jeremy *aussi*, avant qu'il finisse à l'hôpital.

Est-ce que je vais passer ma vie à faire semblant de la vivre ? Est-ce que je vais continuer à regarder le paysage en espérant que les choses s'arrangent d'elles-mêmes ? J'ai besoin d'agir, mais je ne sais pas comment.

Lausanne, tout le monde descend. Emmitouflée dans un manteau à col de fourrure, ma tante Salomé m'attend sur le quai. C'est la sœur de ma mère, et c'est la mère que j'aimerais avoir. Quand je lui dis ça, elle se contente de glousser. « Qu'est-

Octobre

ce qui te fait croire que je serais prête à m'embarrasser d'un petit malin comme toi ? »

– T'as fait bon voyage, mon Toto ?

Elle jette ma valise dans le coffre de sa voiture et me fait monter à l'avant. Elle et Julien, son mari, tiennent une petite librairie à 30 km de Lausanne. C'est un endroit que j'adore, plein de gens passionnants et fous – des jeunes, des moins jeunes, des rêveurs, des poètes, des aventuriers en pantoufles…

Je vois Julien derrière la caisse, en train de parler à une vieille dame coiffée d'un chapeau à plumes. Il quitte son poste et m'arrache littéralement du sol, grimace en m'embrassant.

– Purée ! Qu'est-ce que t'es lourd !

Son veston sent le tabac à pipe. Je glousse ; il me repose. Il court se replacer derrière la caisse et me montre à la vieille dame.

– Lui, c'est mon neveu prodige. Il a lu tout Tolkien à 8 ans.

– Qui ça ?

– Ce n'est pas grave, madame Moutier.

Les dix jours suivants, je les passe ici, entre les rayons de la librairie. Tous les soirs, mon oncle et ma tante reçoivent, organisent des lectures ou partent retrouver des copains dans des bars. Épuisé, je finis en général par m'allonger n'importe où : sur le tapis, sur une banquette, au pied d'un piano. Les conversations et les rires bercent mon sommeil.

Un matin, au petit déjeuner, ma tante me demande « comment ça se passe » à la maison. Je lui dis que ça va. Elle ferme un œil.

– Dis donc, Toto, ça te fait plaisir de me mentir ?

Je baisse la tête, et elle pousse une tartine de Nutella vers mon bol.

– Tes maudits parents, hein ?

– Je… Je crois qu'ils vont se séparer.

– Peut-être que oui, peut-être que non. Dis-toi juste que si ça arrive, ce ne sera pas la fin du monde. Ils seront toujours là, et nous aussi, et il est même possible que la vie devienne plus

Octobre

agréable pour chacun de vous. Ce qui compte, c'est de vivre en accord avec ses choix.

– Ben justement. Là, je n'ai pas trop l'impression d'avoir choisi.

Elle m'ébouriffe les cheveux.

– Un point pour toi. Mais n'oublie pas : la façon dont tu vis les choses, personne ne peut te la dicter. C'est ton avenir, mon grand. Allez, avale ta tartine. On a encore plein de super-livres à refourguer.

Mais à la fin des vacances, comme prévu, la situation ne s'est pas du tout arrangée. Le soir où je rentre à la maison, je trouve mon père en train de boucler ses valises. À peine s'il relève la tête en m'apercevant sur le seuil de sa chambre.

– Salut. Bon, je pars quelques jours. Ou quelques semaines, c'est selon.

– Vous divorcez ?

Il se redresse, se passe une main dans les cheveux.

– Ce n'est pas au programme, non. Mais qui sait ? Ce qu'il y a, et tu as dû le remarquer, c'est qu'on n'arrive plus à se parler, ta mère et moi. Alors je vais prendre un peu l'air, tu vois ? Je ne serai pas loin. J'ai loué un super petit appartement à trois rues d'ici. Tu passeras me voir un week-end sur deux. Je vais acheter une console : on jouera au foot.

– Je n'aime pas les jeux de foot.

Il s'approche de moi, laisse tomber ses mains sur mes épaules, me secoue gentiment.

– Alors on jouera à ce que tu veux.

– OK.

Il me relève le menton.

– Ça va aller, petit Tom.

– Papa ?

– Oui ?

– Arrête de m'appeler comme ça, s'il te plaît.

Octobre

Dans la classe, aujourd'hui, une nouvelle élève est arrivée. Elle s'appelle Zhen, avec un « h ». Madame Destouches a écrit son nom au tableau. « J'espère que vous vous montrerez à la hauteur avec elle », a-t-elle prévenu.

Zhen arrive tout droit de Birmingham, et sa situation a l'air très, très compliquée. Si j'ai bien compris, elle et sa famille ont été obligées de quitter l'Angleterre. Le père de Zhen a déclaré un jour que la Chine ne respectait pas les droits de l'homme, et il s'attendait à ce que son pays d'accueil le soutienne, mais ça n'a pas été le cas, et le père de Zhen a dit que dans ces conditions il préférait partir.

Zhen est assise juste de l'autre côté de l'allée. C'est la fille la plus calme du monde.

Elle est grande, et ses yeux noirs charbon ne cillent presque jamais.

À la récréation du matin, comme elle se contentait de rester à sa table, je suis allé la voir.

– Tu ne vas pas jouer ?

Elle m'a souri.

– Je pas très comprendre ce que dire toi.

Je lui ai souri bêtement en retour. Madame Destouches nous avait prévenus : Zhen commence tout juste à apprendre le français.

– Ah, désolé. Tu peux sortir, tu sais ! Dehors !

Je lui ai montré la fenêtre qui donnait sur la cour. Les cris des élèves, lointains, résonnaient dans le silence.

– *That's OK for the moment*[1], a-t-elle répondu en rangeant ses cahiers.

– Oh. Euh, *great*[2].

Je me suis senti rougir jusqu'à la racine des cheveux.

---

1. Pour l'instant, ça va comme ça.
2. Super.

CHAPITRE 3

Novembre

SARAH

Zhen est différente, pour de bon. Différente dans le sens « géniale ». Elle parle à peine français mais nous nous comprenons très bien. Pour l'instant, nous utilisons un mélange d'anglais et de langage des signes. Chaque fois que je peux, je lui apprends un nouveau mot. Je le lui épelle une fois, et elle le retient.

Hallucinant.

Est-ce qu'elle est belle ? Je ne me le demande même pas. Avec sa peau si blanche et ses cheveux si noirs, elle me fait penser à une princesse de contes de fées. Quand je regarde les autres filles de la classe, toujours à comparer leurs pantalons top cool ou à ricaner comme des dindes, quand je me regarde *moi*, avec mon appareil dentaire flambant neuf et mes gestes précipités, j'ai l'impression qu'elle vient d'un autre monde.

Son visage, on dirait celui d'une poupée de porcelaine. J'imagine un vieux peintre dessinant ses sourcils, pinceau levé.

Tout ce dont Zhen se souvient de la Chine, c'est un parc au milieu de Pékin, un temple juché au sommet d'une colline et les toits de la ville perdus dans la brume. Sa mère l'emmenait tout en haut quand elle était petite. Elle est partie à l'âge de 4 ans parce que son père commençait à avoir des problèmes avec le gouvernement. De *gros* problèmes.

Quand madame Destouches a demandé qui voulait bien s'occuper d'elle pour ses premières semaines parmi nous, ma main s'est levée toute seule. Je ne le regrette pas une seconde. C'est la première fois que j'ai l'impression de ne plus vivre *uniquement* pour moi ; je ne pensais pas que ça puisse être reposant à ce point.

CE QUE J'AI DÉJÀ APPRIS SUR ZHEN

Elle a une voix aussi douce qu'un lychee.

Elle parle trois langues pour l'instant : le mandarin, le néerlandais (elle a vécu aux Pays-Bas) et l'anglais.

Elle sait faire la cuisine (jamais goûté, mais je la crois sur parole).

Elle sourit dès qu'on lui parle.

C'est une encyclopédie vivante sur les fleurs.

Son père est journaliste politique et il a mauvais caractère.

Elle a trois petits frères, qui sont nés dans trois pays différents.

Je suis chargée de lui expliquer le fonctionnement du collège et, si possible, de l'aider à faire ses devoirs. Ma mère s'est montrée hyper-enthousiaste (pour une fois) quand je lui ai annoncé la nouvelle.

– Mais j'espère que tu vas te tenir à ta résolution ! elle a dit. La dernière chose dont cette fille a besoin, c'est que tu la laisses sur le bord de la route.

Je n'ai même pas répondu. Pourquoi je laisserais tomber Zhen ? J'ai trouvé une amie, une vraie ! Ça fait bizarre, d'ailleurs. Je me retrouve à la guider à travers les couloirs du collège, à lui présenter tout le monde, à la rassurer en permanence – moi qui étais totalement morte de trouille il n'y a même pas deux mois.

Bien sûr, tout ne se passe pas *complètement* comme sur des roulettes. Par exemple, je m'occupe tellement des devoirs de Zhen que j'en oublie souvent de faire les miens. Total, deux heures de colle en trois semaines et un 0/20 en maths qui ne va pas arranger *du tout* ma moyenne. Le week-end dernier, apprenant la nouvelle, mon père s'est enfermé dans ma chambre avec moi, histoire, j'imagine, de montrer à ma mère qui était le patron. De tous les week-ends où il aurait pu rentrer, il avait choisi celui-là : pas de bol ! Bon, en fait, il ne m'a pas vraiment disputée. Il m'a juste dit qu'il fallait que je prenne mes responsabilités. Ça a l'air d'être un mot magique chez les adultes, ça, « responsabilités ». Ça me fait penser à des pilules. J'imagine la scène avec ma mère.

Novembre

– T'as pris tes responsabilités ?

– Oui, m'man.

– Bon, n'oublie pas : une le matin et une le soir avant chaque repas, hein.

Deuxième souci : les autres élèves. Étonnamment, Zhen ne fait aucun effort pour se trouver des amis. C'est pas qu'elle ne veut pas essayer, c'est juste qu'elle s'en moque. Du coup, et comme elle a des super-notes en maths et en anglais, et comme TOUS les profs n'arrêtent pas de la complimenter, elle n'est pas *méga*-populaire. Et devinez ce qui arrive à une fille qui est l'amie d'une autre fille pas *méga*-populaire ?

Encore gagné.

Avec Pauline et Laura, l'histoire est tellement terminée que j'ai l'impression qu'elle n'a jamais commencé. Ce voyage en Alsace a été comme un rêve, mais je me suis réveillée avant même d'arriver à Paris. Je crois que se faire une *vraie* copine est le truc le plus compliqué au monde.

Pendant les vacances, j'ai appelé Pauline deux fois pour l'inviter à dormir à la maison. La première,

je suis tombée sur sa mère, très gentille et tout.
« Elle te rappelle sans faute ! » Tu parles. La seconde
fois, c'est Pauline qui a décroché. Elle m'a expliqué qu'elle avait ses cousins chez elle et que donc
elle ne pouvait pas venir, désolée, une prochaine
fois peut-être. Je ne l'ai pas crue une seconde. À la
rentrée, Laura est venue me trouver entre deux
cours pour me dire que je n'avais « carrément rien
compris » et qu'il fallait que « j'arrête ». Je l'aurais
bien giflée mais il paraît qu'elle fait du karaté.

Oh, et puis je m'en moque : Zhen me suffit.
Dans quelques mois, dans quelques semaines
même, elle parlera français aussi bien que moi, et
ce sera encore plus simple. Hier, je lui ai demandé
si elle voulait venir à la maison pour le week-end
(je lui ai montré un calendrier, et j'ai pointé un doigt
sur son cœur, puis sur le mien), mais elle a secoué
la tête gentiment et, pour la première fois depuis
qu'on se connaît, j'ai senti qu'elle était triste.

– *Oh no, I just can't*[1]. Je suis désolée.

Apparemment, son père a encore des soucis,
des histoires d'asile constitutionnel ou je ne sais

---

1. Oh non, ce n'est pas possible.

Novembre

quoi. « Ne vous mêlez pas de ça, Sarah, m'a recommandé madame Destouches quand je suis allée lui en parler. Ce sont des histoires d'adultes. »

Toujours le même refrain.

Aujourd'hui, cours d'EPS horrible, on a dû monter à la corde et je déteste ça : je suis incapable de m'élever ne serait-ce que d'une hauteur de 1 m au-dessus du niveau de la mer. Ma mère a ri quand je lui ai raconté mes aventures. D'après elle, ma nullité en gym, c'est héréditaire, elle était comme ça quand elle avait mon âge, même pas fichue de courir un 100 m.

– Pourquoi tu ne t'inscris pas à la danse ? Ça te ferait du bien.

Non merci, maman.

Reçu un e-mail d'Alice hier soir. Deux semaines qu'elle ne m'avait pas écrit ! Dans mon dernier message, je lui parlais de Zhen en long et en large. J'espère que je ne l'ai pas vexée. Elle me raconte qu'elle a fait la connaissance d'un garçon dont le père élève des kangourous. Ma mère, qui a lu au-dessus de mon épaule, prétend qu'elle fabule. S'il y avait des Jeux olympiques de « ne croire en rien », elle recevrait la médaille d'or direct.

TOM

P arfois, j'ai le sentiment que j'ai laissé passer ma chance le jour où madame Destouches a demandé qui voulait prendre Zhen sous son aile. À d'autres moments, je me dis qu'elle est très bien avec Sarah qui, malgré tout, est l'une des filles les moins superficielles de la classe.

Ah, je ne devrais pas parler comme ça. La vérité, c'est que je n'arrive pas à me débarrasser de ma tristesse, ces temps-ci ; elle me fait comme un manteau. Ce n'est pas très difficile à comprendre. Mon père a déménagé pour de bon, ma mère sort presque tous les soirs, Mathieu ne me parle que de son amoureuse et Jeremy…

J'ai reçu une carte de lui, l'autre jour. La première depuis des siècles. Il avait dû l'acheter à la boutique de l'hôpital parce que c'était une carte d'anniversaire avec un ours rose dessus, entouré de cœurs rouges.

Frangin, je sai que ton 11ᵉ aniversaire est passer mais je voulai te dire que je pense à toi, ici tout va bien mais je ne sait pas quand sortirais.

Au bac français, mon frère a eu 19/20 à l'oral *et* à l'écrit. J'avais les larmes aux yeux en déchiffrant ses mots. Cette carte, j'ai hésité à la jeter, à la brûler même. Finalement, je l'ai gardée. Mais je ne l'ai pas montrée à Mathieu. Je sais pertinemment ce qu'il me dirait. Que je dois m'occuper de mes fesses. Que nous ne sommes pas responsables de ce qui est arrivé à notre frère. Et que je suis bien trop jeune pour ces histoires. N'empêche. Je n'arrête pas de me demander si j'aurais pu, si j'aurais *dû* faire quelque chose.

La semaine dernière, je me suis endormi en plein cours de SVT. C'était la première fois que ça m'arrivait. À l'infirmerie, madame Lombardo – la gentille, celle qui parle *avé l'assent* du Sud – m'a demandé si tout se passait bien à la maison. Je n'ai pas eu le cœur à lui mentir, et je lui ai raconté mes problèmes. Pourquoi elle ? Parce qu'elle ne me connaît pas, je crois. Si on ne connaît pas, on ne peut pas juger.

Quand j'ai eu terminé mon histoire, *notre* histoire, madame Lombardo m'a simplement demandé si je voulais une tisane au miel. J'ai dit oui. Jamais bu une tisane aussi bonne que celle-ci.

Comme Sarah était collée, cet après-midi, c'est moi qui me suis occupé de Zhen pendant la récréation. Personne ne m'avait demandé de le faire, mais elle semblait si seule au milieu du couloir, si perdue !

Je l'ai emmenée au CDI. Toute souriante, comme à son habitude. Madame Rossi nous a laissé entrer. Normalement, elle ne tient pas à ce qu'on vienne faire nos devoirs ici mais, pour moi, elle fait souvent des exceptions. « Mon meilleur lecteur » : voilà ce qu'elle répète sans cesse à sa stagiaire.

Avec Zhen, on s'est avancés pour le contrôle de maths (pour être honnête, c'est plus elle qui m'a aidé que le contraire) et, comme il nous restait une dizaine de minutes, je l'ai conduite au rayon romans pour lui trouver un livre pas trop difficile à lire. Arrivé à la lettre T, je n'ai pas pu m'empêcher de tirer le premier tome du *Seigneur des anneaux* du rayonnage.

– Bon, celui-là, ce sera pour plus tard.

– Tolkien. *I know him.* Je l'ai lu – *all three books[1]*.

– Quoi ?

– *La Communauté… de l'anneau*, a-t-elle déchiffré de sa voix fluette. En anglais, c'est *The Fellowship of the Ring*.

– C'est vrai, tu connais ? Et… tu as aimé ?

– *I loved it[2]*. Oui.

– *You love it[3]*. Ah ! Génial !

Je devais avoir l'air d'un parfait abruti. Elle a

1. Tolkien. Je connais. Je l'ai lu – les trois livres.
2. J'ai beaucoup aimé.
3. Tu l'aimes beaucoup.

remis le livre à sa place.

– Tu aimes ça, oui ? Tu aimes beaucoup ?

J'ai hoché la tête avec conviction.

– *This is my… best book[1]*.

– Oh. *Your favorite[2]*.

– *Yes[3]*. De tous les temps.

D'un geste très doux, elle a ramené une mèche noire derrière son oreille.

– Je l'ai… beaucoup aimé… aussi ?

Elle hésitait. J'ai levé un pouce.

– Tu parles mieux français que moi anglais, dis donc.

Elle a secoué la tête avec un rire léger, et la sonnerie a retenti – fin du rêve.

Et puis un jour, pendant la récréation de l'après-midi…

Zhen est assise sur le muret du fond, les pieds dans le vide, et des garçons de troisième se sont rassemblés devant elle en arc de cercle.

1. C'est mon livre… *meilleur*.
2. Oh. Ton préféré.
3. Oui.

Novembre

Ils se moquent d'elle. Ils se tirent sur les paupières et prennent des accents chinois de cinéma. Il y en a un – un grand maigre à mèche noire, avec un tee-shirt de zombie – qui croise les bras et qui lui dit qu'elle devrait rentrer chez elle, dans son pays, « avec tous les autres bouffeurs de riz ».

Ce type, je le connais : il a redoublé, il était dans la classe de mon frère l'année dernière. Et puis voici qu'une fille arrive. Sarah, qui d'autre ? Elle se dresse entre Zhen et les gros lourds, elle essaie de les raisonner, mais les voilà qui s'en prennent à elle maintenant, qui se moquent de son appareil dentaire et de sa voix trop aiguë. Ils la bousculent.

– Qu'est-ce que vous faites ?

Je me rapproche, négligemment. Les mains dans les poches, mon écharpe rouge rabattue sur l'épaule. Je ne sais pas ce qui me prend, je ne sais pas ce que j'espère : ils sont cinq, et ils font tous une ou deux têtes de plus que moi. Et pourtant, un calme inhabituel m'habite. Je pense à ma vie, à mon frère, à mes parents. Au fond, je n'ai pas peur de grand-chose.

– Dites, vous vous êtes mis à sa place, une seconde ?

– De quoi je me mêle ? répond l'un des grands, maussade. T'es amoureux ?

Le maigre au tee-shirt de zombie ricane. Je souris. Je viens de me souvenir de son nom.

– Mon frère te passe le bonjour, Dylan.

– Ah, euh, ouais.

Il se frotte la nuque, gêné. Je hoche le menton vers Zhen.

– Elle, c'est notre amie. Et elle essaie de se construire une nouvelle vie. Ici, dans un pays qu'elle découvre, avec des gens qu'elle ne connaît pas. Elle a le droit d'essayer, non ?

Ma voix a changé ; je suis quelqu'un d'autre. J'ai confiance.

Les grands se sentent péteux. Ils lancent deux ou trois piques pour la forme, puis ils s'éloignent, comme si ça ne les intéressait plus. Sarah me dévisage avec surprise. « Merci » murmurent les lèvres de Zhen.

CHAPITRE 4

Décembre

SARAH

L e bulletin du premier trimestre est arrivé. Ma mère l'a scanné et en a envoyé une copie à mon père par e-mail. Il a téléphoné presque aussitôt pour me dire qu'il était « très fier de moi » et que je devais « absolument continuer ». J'en ai profité pour lui demander quand il allait revenir s'installer avec nous pour de bon et là, il a changé de ton.

– Je ne sais pas encore, ma puce. C'est compliqué.

Bon, niveau résultats, je ne m'en sors pas si mal. Pendant toute mon année de CM2, mes parents n'ont pas arrêté de me répéter que le passage en sixième allait « être difficile », « très différent », que j'allais « avoir un choc », etc. Mais, finalement, je me sens plutôt bien. Le plan des portes et des couloirs est imprimé dans mon cerveau, je me suis habituée aux profs, ils se sont habitués à moi – la vie n'est pas si dure.

J'ai des bonnes notes partout sauf en maths (à cause des oublis) et en SVT (là, il faut qu'on m'explique : je réponds *toujours* bien mais j'ai *toujours* 12/20). Ah, et en gym aussi, parce que je suis maladroite, et trop nerveuse, et que je me fatigue très vite – trop vite, a souligné monsieur Benhamou. J'ai reçu les « encouragements ». « Des efforts, mais des lacunes évidentes au niveau des méthodes de travail. Sarah doit se montrer plus attentive. »

Ma mère a souri quand elle a lu ça. Elle a essayé de le cacher mais j'ai reconnu sa petite fossette. Elle a dit qu'elle s'y attendait. Elle a rencontré madame Destouches au début du mois, ainsi que trois autres professeurs (j'aimerais bien savoir lesquels), et ils lui ont tous servi la même histoire : je suis une élève gentille, volontaire et motivée mais je pars « un peu dans tous les sens ».

Décembre

Ils lui ont parlé de Zhen, aussi. Ils lui ont expliqué que je prenais mon rôle de tutrice très au sérieux et que c'était tout à fait louable de ma part, mais qu'il ne fallait pas que je perde de vue mes « objectifs personnels ».

– C'est vraiment une bonne copine, hein ?

– C'est plus que ça, maman. C'est mon amie.

– Pourquoi tu ne l'invites pas ?

– Je te l'ai déjà dit cent fois.

– Parle-moi autrement.

Je me suis retenue pour ne pas soupirer.

– Ses parents ne veulent pas qu'elle sorte.

– Même un samedi après-midi ? Même pour un goûter ?

– Je ne veux pas la mettre mal à l'aise.

Ma mère a haussé les épaules. Elle a du mal à comprendre ce qui se trame chez Zhen. Elle n'est pas la seule. Apparemment, le père de Zhen est limite dingue. Il ne sort presque jamais de chez lui et il passe son temps à vérifier toutes les pendules de la maison. Il est obsédé par l'heure. La nuit, il fait des cauchemars. *Toutes* les nuits. Zhen ne veut pas (ou ne peut pas) me raconter ce qui s'est passé précisément en Chine, mais il est clair que son père a fait – ou écrit, ou fait *et* écrit – des choses qui ont particulièrement déplu au gouvernement chinois. Bref. Des affaires de grandes personnes (soupir).

Au collège, en revanche, tout se déroule à merveille pour elle. Elle fait des progrès incroyables en français.

Nous passons l'essentiel de notre temps ensemble, Tom, elle et moi. Depuis que Tom nous est venu en aide dans la cour il y a quelques semaines, plus personne ne nous cherche d'ennuis. Ce n'est pas qu'il soit super-costaud ni rien mais apparemment, il a pas mal d'influence, grâce à ses frères qui étaient au collège avant. Désormais, les troisièmes nous ignorent, tout simplement, et ça nous va très bien comme ça.

Du coup, on est devenus assez amis, lui et moi. Bon, ça reste un garçon mais quand même, il est différent des autres. Il ne crâne pas, il ne fait rien pour se faire remarquer, il est toujours plongé dans ses vieux livres de Tolkien et pourtant, personne

Décembre

ne se moque de lui. Il a de la chance.

L'autre jour, au CDI, Zhen essayait de m'aider pour mon devoir de SVT mais on avait du mal à se comprendre, alors Tom a tiré une chaise et s'est installé à mon côté et il a commencé à m'expliquer, très calmement. En cinq minutes, à ma grande surprise, j'avais tout compris.

– Tu pourrais être prof, j'ai dit.

– Dieu m'en garde.

Il a toujours de drôles d'expressions, Tom. « Dieu m'en garde ». « Ça tombe sous le sens ». « Cochon qui s'en dédit ». Il est marrant, avec son air hyper-sérieux.

Le détail ennuyeux, c'est que j'ai l'impression qu'il a un petit faible pour Zhen. Il fait son possible pour ne pas le montrer mais j'ai surpris son regard à plusieurs reprises. J'ai un pouvoir spécial pour ça, je l'ai déjà testé un million de fois : je vois tout ce que je ne suis pas censée voir.

On a pas mal de points communs, Tom et moi – en plus de Zhen, je veux dire. Lui aussi, il est nul en EPS (parce qu'il est petit ; parce qu'il déteste quand tout le monde le regarde). Et lui non plus, il n'a pas son père à la maison. Pas à cause du travail ; ses parents, si j'ai bien compris, sont en train de se séparer. Il n'en parle jamais, de ça. Ce n'est pas le genre à se plaindre. Des fois, on a l'impression que rien ne peut le toucher, mais ce n'est qu'une impression.

La *grosse* différence entre Tom et moi, c'est qu'il est fan à mort du *Seigneur des anneaux*. Je veux dire, j'ai vu les films, évidemment, et je les ai trouvés pas mal mais quand même, ils sont longs et les livres, c'est encore pire – pas du tout ma tasse de thé. Le jour où j'ai avoué ça à Tom, on aurait dit que le sol s'ouvrait sous ses pieds. Son regard est devenu tout noir et il a porté une main à son front.

– Tu… n'y arrives pas ?

– Il y a beaucoup de descriptions, j'ai dit.

Il a fait semblant de ne pas avoir entendu et il s'est tourné vers Zhen, qui était assise de l'autre côté de la table.

– Toi aussi, tu trouves ça trop long ?

Zhen est maligne. Elle savait bien que si elle

approuvait, Tom allait tomber dans les pommes. Elle lui a tapoté la main avec son petit sourire habituel.

– J'ai déjà dit : c'est un très super-livre.

– Le meilleur, a marmonné Tom, vaguement réconforté.

Elle a hoché la tête. Elle s'apprêtait à ajouter quelque chose quand la sonnerie de la cantine nous a fait sursauter.

– Allez, on ferme ! a annoncé Saloua, la stagiaire du CDI en tapant dans ses mains comme si nous avions 3 ans et demi.

Et, vu que c'était le jour des pizzas, nous ne nous sommes pas fait prier.

TOM

« **É**lève sérieux. Très bons résultats. Tom fait montre d'une attitude irréprochable. Bravo, continuez ! Félicitations du conseil de classe. »

D'accord, je n'ai pas les moyennes de mes frères mais tout de même, je ne m'en tire pas trop mal.

Cela étant dit, j'échangerais sans hésiter *toutes* ces appréciations contre ce soir de Noël, il y a deux ans en Normandie où, réunis autour de la table, mes deux frères, mes parents et moi chantions en chœur tous les hits des Beatles.

Aujourd'hui, les fêtes approchent de nouveau mais cette fois, je les redoute. Partout flotte un parfum de tristesse. La maison tout entière semble respirer au ralenti.

Ma mère raconte qu'elle va peut-être perdre son travail, que ce n'est pas impossible. Jeremy restera interné en hôpital psychiatrique pour la nouvelle année. Mathieu est toujours en vadrouille. Et mon père a pris un avocat pour le divorce.

Heureusement, il y a Ronsard. C'est bizarre de dire ça, mais les choses ont changé. J'ai trouvé deux amies. Zhen et Sarah. Oui, je sais parfaitement ce qu'en pense le reste de la classe : ce n'est pas comme ça que c'est censé marcher. Filles d'un côté, garçons de l'autre. Sauf que je m'en moque. Nous nous en moquons tous les trois.

Samedi dernier, nous sommes allés au cinéma,

Décembre

avec Sarah. Zhen devait nous rejoindre, mais elle ne l'a pas fait. Nous l'avons attendue jusqu'au dernier moment et puis nous sommes entrés dans la salle, la mort dans l'âme. Heureusement, nous avions choisi un film marrant. Pendant une heure et demie, nous n'avons fait que ça : rigoler. Puis nous sommes sortis et nous sommes allés manger des éclairs dans une boulangerie-salon de thé que Sarah connaissait bien. Sa mère, qui lui avait confié un vieux téléphone portable, l'a appelée trois fois pour s'assurer que tout allait bien. Je me suis gentiment moqué d'elle.

– Je suis fille unique, s'est-elle justifiée. Ma mère veut savoir où je suis et ce que je fais à chaque seconde.

J'ai souri.

– Ça promet.

Le soir venu, ma mère et moi nous trouvions seuls à la maison. Comme elle avait « la flemme de faire à manger », elle m'a emmené au restaurant. Au début, j'ai eu peur : j'ai cru qu'elle allait en profiter pour me parler de mon père, pour me demander de l'appeler, de le convaincre de je ne sais quoi. Mais rien. Elle m'a posé des questions sur le collège, sur mes profs, puis sur Sarah et sur Zhen. Au dessert, elle a serré ma main dans les siennes en me regardant droit dans les yeux.

— Deux filles rien que pour toi. Tu ne serais pas un petit tombeur, par hasard ?

J'ai retiré ma main.

— Tu sais ce qu'on devrait faire quand on aura 18 ans ?

— Non.

— Aller en Nouvelle-Zélande.

— Super-plan. Tu sais le prix que ça coûte ?

— Toi, tu retrouverais ta copine Alice et moi, je…

— Toi quoi ?

J'ai lâché un soupir désespéré.

— Mince, il y a tellement de choses incroyables à faire là-bas ! Quand tu vois ces montagnes

Décembre

énormes, Sarah, quand tu vois ces glaciers, tu te dis, ça y est : j'ai trouvé la Terre du Milieu ! Et il y a tout le reste. Les dauphins, les baleines ! Les fougères géantes, les plages de sable noir, les fjords et les geysers…

– Ça ne me dit pas avec quoi on paierait le voyage.

– Tu n'as rien, toi, comme argent ?

– Mes parents ont ouvert un compte à mon nom quand je suis née – je crois qu'il y a 600 euros dessus. Je ne sais pas trop combien ça coûte, un billet d'avion.

– On pourrait revendre des trucs. Moi, je vais avoir une console pour Noël mais si ça se trouve, dans sept ans, elle ne m'intéressera plus du tout.

– Oui, mais si tu la revends dans sept ans, à mon avis, elle vaudra 4 euros.

– Il faudrait monter un projet.

– Un projet ?

– Tu sais, un genre de tombola. Ou une vente de gâteaux.

Elle s'est tapoté la tempe de l'index.

– Il faudrait vendre à peu près trente mille gâteaux pour partir en Nouvelle-Zélande. Et puis qui est-ce qui les ferait, hein ? T'es bon en gâteaux, toi ?

– Quand c'est au chocolat, je me débrouille.

– Moi, je voulais faire un stand pour sauver les dauphins l'année dernière avec Alice, mais nos mères nous ont raconté qu'on n'avait pas le droit, que c'était du commerce illégal, que des gens pouvaient nous dénoncer.

– Dénoncer quelqu'un parce qu'il veut aller en Nouvelle-Zélande voir des baleines et des volcans ?

– C'est ce qu'elles ont dit.

Nous tenions salon dans la cour, assis sur notre petit muret, et Zhen manquait toujours à l'appel. Malade, sans doute. Nous n'avions aucun moyen de prendre de ses nouvelles.

Il neigeait : de petits flocons paresseux, qui hésitaient longtemps avant de se poser. L'un d'eux est venu mourir sur ma langue. J'ai fermé les yeux.

Décembre

– Moi, plus tard, j'irai habiter là-bas. Ici, il pleut tout le temps et, quand il ne pleut pas, il neige, et ça devient dégueu.

– Il paraît que si on n'a pas de soleil on finit par devenir fou.

Brièvement, j'ai pensé à mon frère. Bras croisés, je me suis tourné vers elle.

– Ta copine Alice, elle te manque beaucoup ?

– Pourquoi tu me demandes ça ?

– Pour rien. Ma mère prétend qu'on ne garde jamais ses amis de l'école primaire. Qu'on ne les voit plus trop, et qu'ils nous manquent de moins en moins, et à la fin plus du tout.

– N'importe quoi.

– Mais elle te manque moins qu'en septembre, n'est-ce pas ?

Elle n'a pas répondu. Elle a sauté au bas du muret et elle est retournée vers le préau. Je trotti-nais derrière elle, penaud.

– Hé, attends ! Je t'ai vexée ? Je ne voulais pas.

– Tu ne m'as pas vexée.

– Alors quoi ?

Elle s'est arrêtée. Elle était blessée, ça sautait aux yeux. Mais, comme c'était mon amie, elle n'osait pas me le dire en face.

– Zhen m'inquiète, a-t-elle déclaré, indifférente aux garçons qui jouaient au foot autour de nous.

Je l'ai prise par le bras et je l'ai emmenée à l'écart. Depuis que nous l'avions attendue devant le ciné, le samedi précédent, notre amie n'avait plus donné signe de vie. Dix jours sans nouvelles, ça faisait beaucoup. Moi non plus, je n'étais pas tranquille. Elle avait nos adresses mail. Elle avait les numéros de téléphone de chez nous. Son père avait beau tout lui interdire, ce n'était pas normal.

CHAPITRE 5

Janvier

SARAH

Tous les mois, on resserre les fils de mon appareil dentaire. Pendant trois jours, je ne peux plus manger que de la purée ou de la soupe. Ô bonheur.

Dans la salle d'attente de la dentiste, il y a deux ou trois magazines de BD vieux d'environ cinq siècles, et des revues pour adultes. L'autre matin, j'ai trouvé un article sur la Chine. Je n'ai pas compris tous les détails, mais l'auteur expliquait que c'était un pays en pleine mutation et que les gens avaient de plus en plus de libertés. Sauf que Facebook est interdit. Et qu'il y a encore tout un tas de types emprisonnés juste parce qu'ils ne sont pas d'accord avec le gouvernement.

Zhen n'est pas rentrée, et voilà maintenant presque un mois qu'elle est absente. Je pensais pour de bon qu'on allait se retrouver après les vacances, je lui avais même apporté un dessin avec un renne qui est arrêté pour excès de vitesse. Voir sa chaise vide à côté de la mienne, ça m'a fait un choc, je vous jure. Et quand j'ai croisé le regard de Tom au moment où le prof de techno a appelé son nom, j'ai compris qu'il était au moins aussi angoissé que moi.

J'ai passé des vacances de Noël géniales : dans le Sud, chez ma grand-mère, avec mes *deux* parents. Il faisait tellement beau qu'on est allés trois fois à la mer et que je me suis baignée jusqu'aux genoux. On est allés voir papy en maison de repos, aussi, et ça, c'était nettement moins drôle, vu qu'il ne reconnaît plus personne. Je lui avais fait un dessin de notre immeuble pour lui montrer à quoi ressemble notre vie aujourd'hui, et je lui avais apporté mon bulletin

Janvier

– ce papy a toujours été fier de moi. Mais le dessin, il l'a posé sur le rebord de la fenêtre sans même le regarder et le bulletin, c'est ma grand-mère qui a dû lui lire les notes et les appréciations, et il a juste murmuré « bravo mademoiselle » en regardant ailleurs. Ça m'a brisé le cœur.

À part ça, ma grand-mère m'a préparé ma recette préférée – aubergines au parmesan –, on a fait une randonnée dans la garrigue avec mon père (il m'a forcée à lire un roman de Marcel Pagnol* avant, ce qui ne servait à <u>rien</u>), on a pris les VTT et j'ai fini le nez dans la boue, et on est allés à l'aquarium voir les requins-de-la-terreur mais j'ai été hyper-déçue, je pensais qu'ils seraient carrément plus géants que ça, comme dans les films où ils mangent des gens.

Pour Tom, les vacances ont été moins super étant donné que ses parents sont en plein dans les papiers du divorce. Le truc, c'est que c'est surtout son père qui semble y tenir : sa mère, elle, elle aimerait qu'il revienne. Et puis, apparemment, son frère aîné a piqué une crise plutôt grave à l'hôpital le soir de Noël.

* Marcel Pagnol, voir p. 136.

Bref. Zhen n'est pas là et on n'a pas la moindre idée de ce qui se trame. Alors, à l'interclasse, on va trouver madame Destouches pour lui demander si elle a eu vent de quelque chose. Et bien sûr qu'elle en a eu vent. Seulement, elle ne veut rien nous dire. Rien d'autre que « Zhen a des problèmes de famille » (sans blague) et « nous ne pouvons pas faire grand-chose pour l'instant ».

À la récré, Tom et moi, on tire une tête de 3,50 m de long. Il fait des nœuds avec son écharpe rouge :

– Tu connais son adresse, toi ?

– Zhen m'a toujours répété qu'elle n'avait pas le droit de me la donner. Mais on doit pouvoir la trouver seuls.

– Comment ?

Je plisse les yeux telle une espionne. Il se trouve que j'ai réfléchi à la question.

– Dans le casier de madame Destouches, en salle des profs, il y a un dossier avec les noms et les adresses de tous les élèves. C'est Florian qui me l'a dit.

Janvier

– Florian, notre délégué ? Attends, ne me dis pas que tu as l'intention…

Je reste muette, mais la réponse se lit dans mes yeux. Tom secoue la tête, atterré.

– Non mais, t'es folle ? On ne va pas s'introduire dans la salle des profs ! De toute façon, c'est impossible.

– T'as un meilleur plan ?

Abattu, il laisse pendre son écharpe.

– Peut-être que sur Internet…

– J'ai déjà cherché, Tom. J'ai eu du temps, pendant les vacances.

Il baisse la tête.

– Moi aussi, finit-il par reconnaître. Sur l'ordinateur de mon frère. J'ai tapé son nom sur Google, j'ai regardé dans les PagesBlanches, mais rien. Désespérant, non ? C'est notre amie, et on ne sait même pas où elle habite. Elle doit avoir besoin d'aide.

On pense tout le temps à elle, maintenant. Avec tristesse et impuissance. Tom a raison : on ne peut pas aller piquer cette liste en salle des profs. Si on se fait attraper, on sera virés du collège. Zhen est comme ma sœur, mais ça arrangerait quoi à sa situation ?

La seule chose qui nous reste, c'est la parole. On discute pendant la récré. On s'écrit des mots pendant la classe (Romain a surpris un échange, une fois ; il a levé le pouce avec la langue de côté, il doit croire qu'on est amoureux, ce crétin). On se téléphone le soir parce qu'on ne peut plus s'envoyer d'e-mails – le frère de Tom a changé son mot de passe. Ça nous fait du bien de discuter de Zhen, d'échafauder des hypothèses et des plans. Mais pour elle, qu'est-ce que ça change ?

9,5/20 en SVT. Ma mère fronce les sourcils en agitant ma copie.

— Et ça, qu'est-ce que ça veut dire ? Je croyais que tu étais au point ?

Janvier

Je baisse la tête. Ces derniers temps, je ne travaille vraiment pas beaucoup. L'absence de Zhen est devenue une obsession. Je commence à me demander s'il ne lui est pas arrivé quelque chose de grave. Un accident de la route, une maladie. Peut-être qu'elle a déménagé ? Mais elle serait partie comme ça, sans nous prévenir, sans même nous dire au revoir ? Et si son père avait été expulsé, et qu'elle avait été renvoyée en Chine avec lui ?

Pour que ma mère se calme, je lui raconte des bobards. Je dis que j'ai mal compris l'intitulé de l'exercice. Elle me demande combien ont eu les autres filles de ma classe.

– Ta Pauline, là. Elle a l'air bien, cette fille.

Oh, pitié…

– Je rencontre souvent sa mère au supermarché.

– Elle a eu 8, Pauline.

Et c'est au moment où ma mère, contrariée, s'apprête à poser une autre question gênante que le téléphone se met à sonner. Miracle !

Ma mère décroche.

– C'est pour toi. C'est Tom.

Je lui arrache le combiné des mains et pars m'enfermer dans ma chambre.

– Tom ?

– Salut, Sarah.

– T'en as une drôle de voix.

– J'ai retrouvé le père de Zhen.

– Tu as *quoi* ?

– Sur Internet. Tu as un ordinateur à proximité ?

TOM

Z hen est de retour. Amaigrie, et son sourire est devenu triste.

Madame Destouches nous a prévenus qu'elle traversait « une situation difficile » et qu'elle avait « besoin de notre soutien inconditionnel ».

Le premier jour, tout le monde vient l'entourer.

– T'as été en prison ? Hé, il y a quelqu'un qui est mort ?

Elle secoue la tête, patiente. Elle distribue des « merci » et des « tout va bien » comme si elle les sortait d'un sac de bonbons. À midi, nous engloutissons notre déjeuner en quatre minutes chrono et nous filons faire le point près du vieux peuplier, au fond de la cour. Il tombe une pluie très fine, et Zhen a remonté sa capuche. Elle se frotte les mains.

— Je suis désolée, beaucoup. Je n'ai pas pu avertir. Pas le droit de téléphone. Je voulais sortir et appeler mais pas possible.

— Tu as été séquestrée ?

Elle secoue la tête. Elle ne connaît pas ce mot.

— Emprisonnée ? Enfermée ? Tu n'avais pas le droit de sortir ?

— Pas le droit, non. Mais c'est pas faute mes parents. C'est sécurité.

Je hoche la tête, comme si je comprenais à 100 %. En fait, je comprends, mais en partie seulement. L'autre jour, pendant que ma mère partait à l'assaut des boutiques pour faire les soldes, je me suis servi de l'ordinateur qu'elle venait de s'acheter. (Son mot de passe n'était pas très difficile à deviner : Jeremy. Notre monde tourne autour de lui, ces temps-ci.). Le nom du père de Zhen, je le connaissais, elle l'avait mis un jour dans un exercice d'anglais qu'elle m'avait prêté pour que je corrige le mien. Le reste est venu tout seul.

Donc, le père de Zhen est une sorte de rebelle. Incapable de se taire. Quand il était journaliste en Chine, les articles qu'il écrivait ne plaisaient pas du tout à son gouvernement. Il a été obligé de fuir son pays en 2005 pour s'installer en Angleterre avec sa famille après un passage par les Pays-Bas, et puis il est venu ici, en France, parce qu'on ne voulait plus de lui en Angleterre. Des associations l'ont aidé à s'installer, et on lui a même trouvé du travail mais, bientôt, le président chinois va venir en visite en France et, du coup, sa présence pose un gros problème. Le souci, c'est que si le père de Zhen retourne en Chine, il sera sans doute jeté en prison. Et elle ?

Zhen nous explique qu'il y a des policiers partout devant chez elle, tous les jours depuis des semaines, et que des reporters n'arrêtent pas de passer, et des membres d'associations aussi. C'est pour ça qu'elle n'avait pas le droit de sortir jusqu'à

Janvier

aujourd'hui. Désormais, on sait que le gouvernement français doit prendre une décision. Une date a été fixée et, jusqu'à cette date, Zhen peut continuer d'aller au collège.

– Et après ?

Sarah ne me laisse pas le temps de poser la question. La pluie tombe un peu plus fort. Zhen joint ses mains en prière sur sa bouche, comme elle le fait chaque fois qu'elle réfléchit.

– Après, simple : soit je reste, soit je m'en vais.

– Où ?

Elle se tourne vers moi mais son regard, soudain, est vide comme une chambre d'hôpital un soir de…

– En Chine, répond Zhen. Chez mes grands-parents.

Une bombe est tombée au milieu de la cour. Je sens Sarah vaciller.

– Mais ils ne peuvent pas te renvoyer là-bas !

Zhen hausse les épaules.

– C'est pas moi qui décide, tu sais.

Nous retournons en classe : que faire d'autre ? Je crois que nous nous sentons encore plus proches de Zhen qu'avant.

Nous avons peur pour elle. Nous avons peur pour nous.

Elle, bien sûr, elle fait tout son possible pour nous rassurer. Elle n'arrête pas de nous dire que nous devons nous concentrer sur notre travail (mes notes baissent, celles de Sarah aussi – je prends deux heures de colle en deux semaines pour oubli de devoir et de matériel).

La date de la décision pour son père change toutes les cinq minutes.

– Ce ne devrait pas être avant Pâques, nous assure Zhen. Arrêtez de vous inquiéter.

Je ne m'inquiète pas, d'accord. Mais je passe l'essentiel de mon temps libre sur Internet, au CDI. J'épluche tous les journaux pour voir s'ils parlent de l'affaire. Madame Rossi a repéré mon petit manège. Un matin, elle fait défiler devant moi l'historique de mon poste – l'intégralité des recherches Google sur le père de Zhen.

Janvier

— Ces ordinateurs sont des outils de travail, dit-elle, lèvres pincées.

Mais on sent bien qu'elle n'a pas le cœur à me disputer.

J'essaie de me ressaisir. J'essaie d'oublier le fait que ma mère, à présent, est régulièrement pendue au téléphone avec son avocat. J'écris des lettres à Jeremy auxquelles, sans surprise, il ne répond jamais.

En français, nous étudions *l'Odyssée* d'Homère*.

— Homer Simpson ? ricane Martin au fond de la classe.

— Impressionnant, commente madame Destouches en mimant un bâillement.

Penchée sur le livre de Zhen, Sarah lui explique des passages.

Nous n'avons pas totalement abandonné l'idée de partir en Nouvelle-Zélande, mais nous avons arrêté d'en parler. Je me suis renseigné sur les prix d'un billet ; c'est décourageant. Sans compter que Sarah n'a plus l'air d'être très copine avec cette Alice qui lui manquait tant en début d'année.

* Homère, voir p. 137.

L'autre jour, elle m'a confié qu'elles ne s'étaient pas écrit depuis plus d'un mois, et elle n'avait pas l'air spécialement triste. « Elle a été ma meilleure amie, a-t-elle ajouté. Mais aujourd'hui, je crois que nous sommes passées à autre chose. »

Tous les soirs, une voiture vient chercher Zhen. Toujours la même, noire, avec des vitres teintées. Zhen dit que ce sont les associations qui prennent les frais en charge.

Nous la regardons fermer la portière, la voiture s'éloigne, et notre bus arrive deux minutes plus tard. D'habitude, je descends trois arrêts avant Sarah mais, cette fois, je l'accompagne jusque chez elle.

Nous discutons. Nous discutons comme nous n'avons jamais discuté. Elle fait des efforts pour masquer son appareil dentaire quand elle parle mais elle n'y parvient pas très bien.

Arrivée devant chez elle, elle se passe une main sur la figure.

Janvier

– Est-ce que tu crois que nous nous occupons de Zhen parce que c'est la seule de la classe qui ait besoin de nous ?

– Quoi ? D'où est-ce que tu sors ça ?

– Laisse tomber.

Je rentre chez moi à pied en réfléchissant à ses paroles. Si je devais choisir entre elle et Zhen, qu'est-ce que je ferais ?

Ma mère m'attend dans le salon, un verre à la main. Il y a un petit type derrière le bar, qui finit de s'essuyer les poignets avec le torchon à vaisselle.

– Chéri, voici Daniel. C'est mon avocat.

Je hoche vaguement la tête.

– Bon, reprend ma mère, j'ai une nouvelle pas très agréable à t'annoncer.

Je m'apprêtais à regagner ma chambre. Je me fige au bas de l'escalier.

– Ton frère a recommencé, dit-elle.

– Il *quoi* ?

– Il a pris trop de médicaments, comme à Noël. Il avait ses angoisses, et…

Sur le vieux fauteuil tout râpé du couloir, à

l'étage, Mathieu contemple fixement les lignes d'écran de veille de son ordinateur. Il m'adresse un sourire et se tape les genoux.

— Viens là, p'tit mec.

CHAPITRE 6

Février - Mars

SARAH

L e printemps arrive. Avec précaution, comme un invité qui entrerait sur la pointe des pieds. On le remarque aux bourgeons sur les arbres. Les bulletins du deuxième trimestre ne vont pas tarder à fleurir, eux aussi.

La sixième, je commence à maîtriser. Les professeurs, je sais comment les prendre. Ça n'empêchera pas mes moyennes de baisser. Ils nous avaient prévenus. Ils nous avaient dit que ça deviendrait plus difficile dans certaines matières. « Personne n'est parfait » : c'est ce que je raconte à ma mère quand une note pourrie tombe en anglais ou en français, et ça l'énerve, mais c'est vrai. Ma matière préférée ? Arts plastiques. La prof prétend que j'ai un don. C'est sûr que, par rapport aux autres, je ne me débrouille pas trop mal.

Je me fais des copines. Une nouveauté, ça aussi. Bon, pas des filles dont je me sens hyper-proche : juste d'autres élèves marrantes et sympas chez qui je peux passer le samedi après-midi pour faire mes devoirs – des filles qui me montrent leur cochon d'Inde ou leurs photos de vacances et avec qui on rigole pas mal, sans que ça ressemble pour autant à un serment d'amitié éternelle. Il y a Mathilde, qui a quatre frères et sœurs, il y a Zoé, avec ses lunettes épaisses et sa bouille de poisson-lune, il y a Margot, la spécialiste des blagues horribles. (En revanche, ne me parlez plus de Laura et de Pauline.) « J'ai l'impression que tu as trouvé ta place », m'a glissé l'autre jour madame Destouches. J'ai hoché la tête.

Et les deux autres ? Tom, Zhen ?

Chez Tom, la vie est compliquée. Ses parents se font la guerre à coups d'avocats et son frère aîné, interné en hôpital psychiatrique, multiplie les crises. Son dernier exploit en date ? Il s'est intro-

duit dans une réserve et a raflé tous les médicaments qu'il pouvait trouver. Il en a avalé quelques-
uns. Heureusement, ils l'ont arrêté à temps.

On parle beaucoup de ça avec Tom : de la maladie de son frère. Elle s'est déclarée l'année du bac.
Jeremy était un élève extrêmement brillant mais,
un jour, il lui est arrivé quelque chose de terrible et
ça a tout changé pour lui, et il est tombé malade.
Tom pense que c'est à cause de ça que ses parents
veulent divorcer. Ils n'ont pas réussi à faire face
ensemble à ce qui leur tombait dessus.

Du côté du père de Zhen, on attend toujours la
date à laquelle une décision sera prise. Elle a déjà
été reportée deux fois sans qu'on sache pourquoi.

Zhen parle couramment français aujourd'hui,
elle a même de meilleures notes que la plupart
d'entre nous. Nous sommes plus amies que jamais,
mais je vis dans la peur constante que nous soyons
séparées, et ça n'a rien de confortable.

Une grande nouvelle : Zhen, Tom et moi avons un
projet de journal pour le collège. Oh, nous n'espé-
rons pas publier « le » journal officiel de Ronsard.

Plutôt « notre » journal à nous, un truc que tout le monde pourrait lire en sixième et après, un journal qui parlerait de notre vie, de nos problèmes, des profs et des élèves. Au programme : des interviews, des poèmes, des petites histoires en BD signées par moi et des quiz, aussi, et plein d'autres surprises, chansons ou concours, on verra.

Nous avons prévu de sortir un numéro par mois. Le prix sera de 2 euros. Pas donné mais si nous voulons partir tous les trois en vacances d'ici quelques années (pas forcément en Nouvelle-Zélande : disons dans un pays lointain avec plein d'animaux exotiques – un pays où les gens ont sûrement besoin de notre aide), on n'a pas trop le choix. D'après nos calculs, si on ne vend le journal ne serait-ce qu'au quart des élèves, ça rapportera quand même dans les 360 euros par mois. Dans trois ans, à la fin de la troisième, on sera largement prêts.

Pour l'instant, on n'a pas de titre. Moi j'ai pensé à *L'Impertinent*, Tom préfère *Gandalf & Co.* (il signe ses articles « le Magicien »), Zhen a songé à quelque chose de plus général genre *La Voix de Ronsard*.

Dans le numéro 1, j'ai prévu une BD avec une héroïne qui monte un cheval magique à moitié cinglé. Elle est capable de passer d'une dimension à l'autre en ouvrant des portes de lave-linge et son pouvoir, c'est de faire perdre la mémoire aux gens. Comme ça, quand il se passe un machin embêtant, hop, elle claque des doigts et tout le monde oublie. Je vous jure, j'aurais bien aimé avoir un pouvoir comme ça l'autre jour quand j'ai dû annoncer à mon père que j'avais eu un 8/20 en histoire-géo.

Avant-hier, avec Tom et Mathilde et sa mère et deux de ses frères et deux autres filles, on est allés au cinéma voir un Disney. C'était l'anniversaire de Mathilde et elle avait invité Tom de sa propre initiative. Bizarre, j'ai trouvé. Pendant tout le goûter (sa mère était sortie téléphoner, elle nous a laissés seuls au moins trois quarts d'heure), elle a ri à tous les trucs que racontait Tom, même quand ce n'était pas drôle du tout.

– Tu sais, je lui ai dit sur le chemin du retour, Tom, il fait son intéressant mais en vrai, il a de gros problèmes.

Mathilde m'a souri.

– Tu crois que t'es la seule à être au courant ?

Je n'ai pas insisté.

Depuis quelques semaines, je fais du théâtre avec elle – je me suis inscrite au groupe de l'école de madame Charbonnier, une prof de français, et c'est vraiment super, on joue une pièce d'Eugène Ionesco qui s'appelle *La Cantatrice chauve**. Comme je remplace une fille qui a abandonné en cours de route, madame Charbonnier m'a donné son rôle : celui de Mary, la bonne.

La pièce est absurde et super-drôle. Ma mère soupire quand je lui en parle, elle dit que je n'avais pas besoin de ça pour prendre de l'assurance, n'empêche qu'elle raconte à tout le monde que je monte sur les planches.

* *La Cantatrice chauve*, voir p. 137.

Février - Mars

Le week-end dernier, maman avait la grippe et, comme mon père était à la maison, nous sommes allés dîner tous les deux dans ce restaurant de viande que j'adore. Mon père m'a posé plein de questions : comment j'allais, comment s'appelaient mes amis, etc. C'était bizarre parce que, d'habitude, il ne me demande jamais rien et là, on avait l'impression que tout l'intéressait. Après qu'on lui a servi son café, il a posé sa cuillère sur le rebord de sa soucoupe et il m'a demandé si ça me ferait plaisir d'avoir un petit frère ou une petite sœur. J'ai ouvert de grands yeux.

– Maman est enceinte ?

Il a pris ma main dans la sienne.

– Il faut attendre encore pour être sûr que tout se passe bien, Sarah. Je ne suis pas censé te l'avoir dit, d'accord ?

J'ai regardé autour de moi. Rien n'avait changé, et tout était différent.

– Je rentre à la maison, a annoncé mon père.

TOM

S arah parle de plus en plus du théâtre et de la pièce qu'elle doit jouer en fin d'année. Elle a l'air heureuse, et je suis heureux pour elle, mais un peu triste en même temps, parce que je sens qu'elle s'éloigne. Nouveaux amis, nouveaux buts. Moi, je suis bien trop timide pour monter sur scène et déclamer un texte ; je suppose que c'est une question de personnalité. Hier, elle m'a fait jurer-cracher que je viendrai la voir jouer à la fête de fin d'année, et que je serai assis au premier rang. J'ai juré, qu'est-ce que je pouvais faire d'autre ?

– Laisse-la, me conseille Zhen.

– Quoi ?

– Laisse-la tranquille, c'est ça que je veux dire. Vous êtes de super-amis. Ce n'est pas parce qu'elle fait du théâtre que ça va être la fin. Tu devrais être réjoui pour elle.

– Mais c'est le cas.

– Menteur.

Zhen ne s'en vante pas, mais elle n'a pas son

pareil pour lire dans les pensées des autres (parfois, elle me fait songer à une vieille bonne sœur chinoise, assise en tailleur au sommet d'une montagne) et moi, je suis très nul pour cacher mes sentiments. Je devrais faire attention, d'ailleurs.

À présent, c'est moi qui remplace Sarah pour aider Zhen dans son travail la plupart du temps et il ne fait aucun doute qu'elle pourrait tout à fait se débrouiller sans moi. Est-ce qu'elle comprend à quel point c'est moi qui ai besoin d'elle ?

À part ça, il y a cette fille, Mathilde, qui n'arrête pas de me coller et de me dire que je devrais faire du théâtre moi aussi.

– Dis donc, tu t'inscris l'année prochaine avec nous, hein ? Tu vas voir, ça va changer ta vie !

Je hoche la tête : je suis quelqu'un qui a du mal à dire « non ». Mais je devrais lui expliquer. Que le théâtre, chez moi, c'est en permanence. Que le théâtre, c'est la vie de ma famille. Et que c'est plutôt tragique que comique.

Chaque fois que je la croise, ma mère est pendue au téléphone avec son avocat. Ce petit type aux cheveux blonds coupés court qui pue l'after-shave. Le contraire de mon père. Est-ce qu'elle est amoureuse de lui ?

Et mon père, justement. Pris dans ses affaires de « boulot ». Oubliant qu'on doit se voir, passant ses journées à travailler puis, le soir venu, m'invitant dans des restaurants hors de prix, et au cinéma après. Mais je m'en fiche, des restaurants. Et les films que tu me proposes ne m'intéressent pas, papa. Je voudrais que tu me poses des questions. Que tu passes du temps avec moi en vrai.

Mathieu, lui, est sans cesse fourré avec sa copine ; une fois sur deux, désormais, elle est là quand je rentre. Camille, c'est son nom. Elle est rousse, cheveux bouclés, et elle s'habille comme un elfe, je trouve. Très jolie, mince, un rire aussi léger qu'un ruisseau. Mathieu sourit en permanence, tel un parfait imbécile. Un imbécile heureux. Alors que son frère, que *notre* frère a élu domicile au sous-sol de l'enfer. Alors que nos parents n'en finissent plus de se déchirer. Au lycée, apparemment, il récolte des notes pas si géniales que ça. Et personne ne semble s'en inquiéter.

Je commence à comprendre ce qui clochait, dans ma famille. Ce côté « nous devons être les meilleurs partout parce que nous ne sommes bons qu'à gagner ». Maintenant qu'ils sont occupés par quelque chose de réellement important, de vital, même, mes parents ne font plus attention à nos notes. Savoir si nous sommes deuxièmes ou cinquièmes de la classe (et comprendre pourquoi nous ne sommes pas premiers) ne les intéresse plus autant qu'avant.

Je suis allé voir Jeremy à l'hôpital l'autre jour. Le temps était radieux, nous sommes descendus nous promener dans le jardin. Des paons se pavanaient, faisaient la roue. Mon frère s'est assis sur un banc et je suis resté debout. Il avait grossi, mais je le trouvais plutôt en forme. Il m'a raconté qu'il avait débuté un nouveau traitement et qu'il avait mis toute son existence à plat.

– Je lis des livres de spiritualité. Tu sais comment on devient heureux, petit Tom ?

J'ai secoué la tête, et un sourire énigmatique s'est dessiné sur son visage.

– En arrêtant d'essayer de l'être.

Ma mère prétend que mon frère a une maladie, qui se traite comme n'importe quelle autre maladie. Mon père a l'air d'accord. Et s'ils se trompaient ?

Je me suis remis à travailler. Premier, c'est ce que je veux être, malgré tout – juste pour les embêter. J'ai besoin d'objectifs, moi aussi. Besoin d'arrêter de penser. Travailler, c'est parfait pour ça. La Mésopotamie, les triangles équilatéraux, Ovide*. Rien de tel pour ne plus songer à l'hôpital et au divorce. « C'est bien, m'a félicité Jeremy quand je lui ai fait part de ma décision. Concentre ton esprit sur le détail le plus infime et traite chaque moment comme si c'était le plus fondamental de ton existence. Parce que c'est le cas. N'importe quelle seconde compte. »

* Ovide, voir p. 137.

Février - Mars

Ce samedi-là, je suis reparti de l'hôpital tout chamboulé. Mon frère me faisait penser à un homme dont l'armoire abritait un trésor depuis des siècles, et qui venait juste de s'en apercevoir.

J'ai perdu : notre journal s'appelle *L'Impertinent*. Le premier numéro est sorti il y a dix jours, avec deux BD de Sarah, une série de poèmes (Zhen et moi), des quiz et des jeux (tous les trois), un article sur comment gruger la queue à la cantine (moi – mais quand je le relis, j'ai l'impression que c'est un étranger qui l'a écrit) et un long papier sur Ionesco (Sarah), plus deux ou trois autres rubriques.

Le gros problème, c'est qu'on n'a vendu que douze exemplaires de cette merveille jusqu'à présent, et que ce chiffre ne devrait plus trop changer. Donc, on a gagné 24 euros, et encore, c'est grâce à la mère de Sarah qui nous a fait les photocopies gratis à son travail pour qu'on puisse imprimer cinquante exemplaires. « Je vous aide juste parce que c'est le premier numéro, a-t-elle prévenu. Après, il faudra vous débrouiller seuls. »

Vu qu'il est hors de question d'augmenter le prix, j'ai cherché sur Internet comment gagner de l'argent avec un journal, et le seul moyen que citait le journaliste, hormis les abonnements, c'était la vente d'espaces publicitaires. Mais de la pub pour qui, pour quoi ? Ça m'étonnerait que Apple ou McDo veuillent nous donner de l'argent en échange d'un article – surtout quand on sait ce que Sarah pense des hamburgers.

L'autre jour, c'était mon anniversaire et je ne l'ai dit à personne mais j'ai quand même eu un cadeau : un poème, glissé dans mon sac, avec des lettres de toutes les couleurs découpées dans des journaux. Je ne sais pas à qui je dois ça – enfin, j'ai ma petite idée, mais je n'ose pas demander.

Février - Mars

Dans ce poème, il est question d'un bateau, de « vagues argentées » et d'îles lointaines. Le bateau, c'est ma vie, et les îles, si j'ai bien compris, ce sont mes rêves. Je crois que c'est plus beau et plus simple que tout ce que j'ai jamais pu écrire.

CHAPITRE 7

Avril - Mai

SARAH

Au retour des vacances de Pâques, après le premier cours de français, madame Destouches nous demande de rester, Zhen, Tom et moi. Les autres partent en récré.

D'abord, pas un mot. Elle referme la porte, retourne s'asseoir à son bureau et nous fait signe de nous installer au premier rang. C'est un cours particulier ou quoi ? Sans nous quitter des yeux, elle ouvre un tiroir et en sort… arg ! un exemplaire de *L'Impertinent*, qu'elle laisse tomber sur sa table. Son regard se fait plus perçant.

– La BD sur le cochon d'Inde, Sarah, elle est de vous, j'imagine ?

– Euh, oui.

– C'est amusant, le nom que vous avez donné à ce gros type aux oreilles décollées : Bernard. Il ressemble drôlement à votre professeur d'EPS, je trouve.

Je deviens écarlate.

– J'ai… Je n'ai pas réfléchi à ça.

– En tout cas, il m'est arrivé de rire. Si, si. Surtout au moment où la professeure principale tombe dans les toilettes.

– Ce n'est pas vous, madame.

– Non, non. C'est juste quelqu'un qui me ressemble beaucoup.

Lèvres pincées, elle se tourne vers Zhen.

– Quant aux poèmes… Remarquables, sincèrement. Le printemps de la liberté. C'est maintenant, le printemps ?

– C'est un symbole, madame.

– Je m'en doute. Par ailleurs, il reste quelques fautes d'accord. Je les ai corrigées sur cet exemplaire mais le mal est fait, si l'on peut dire.

Rêveuse, elle feuillette le journal à rebours.

Avril - Mai

S'arrête sur la première page. Fixe son regard sur Tom, qui trouve le courage de ne pas baisser la tête.

– L'éditorial… Intéressant, l'éditorial. Mais vous avez tendance à tout mélanger, Tom. Le racisme, le gouvernement, les mauvais profs…

– Je voulais…

– Un bon journaliste ne doit jamais expliquer ce qu'il voulait faire ou quel effet il comptait obtenir. Il doit montrer, tout simplement.

Elle referme le journal.

– Quand même, 2 euros ! C'est encore plus cher qu'un quotidien. Quelles étaient vos espérances de ventes ?

Je me racle la gorge.

– Trois cents exemplaires.

Elle tire un crayon à papier de son chignon, l'examine avec indifférence.

– Dans l'ensemble, je dois reconnaître que c'est un travail fort intéressant. Vous devriez continuer. Peut-être en ouvrant vos colonnes à des élèves des classes supérieures – ou au moins à d'autres sixièmes.

– Merci, fait Tom, avec un sourire de soulagement. Vous savez, on…

– Et *cependant*, le coupe-t-elle, doigt levé, si je m'écoutais, je vous flanquerais quatre heures de colle chacun. Où donc aviez-vous la tête ? Vous pensiez que vous aviez le droit de vendre ceci, s'énerve-t-elle en agitant son exemplaire, dans l'enceinte même du collège ? Le règlement intérieur, ça vous dit quelque chose ? Exercer une activité commerciale au sein de l'établissement est strictement interdit. Sans compter cet article très limite sur la queue à la cantine.

Silence radio. Nous ne nous regardons même pas. Le problème de la vente au collège, Tom l'avait abordé. Et je lui avais dit de ne pas s'en faire. Il doit se mordre les doigts de m'avoir écoutée.

– Je vais passer l'éponge pour cette fois, finit par lâcher madame Destouches en reposant le journal. Je mets votre faute sur le compte de la naïveté. Mais vous n'allez pas en profiter pour laisser tomber, certainement pas. Vous allez me sortir un numéro 2. Sarah, je veux une histoire moins caustique, cochon d'Inde ou pas. Laissez tomber l'ironie et racontez-nous quelque chose de vrai. Zhen, poursuivez sur cette voie. Concision et rigueur. Et vous avez le droit de vous servir d'un dictionnaire, hein. Tom ? Ça suffit avec les approximations. Votre critique du dernier Disney n'est pas trop mal ficelée, mais la fin est confuse. Pour la prochaine fois, je veux une conclusion plus resserrée.

J'avale ma salive.

– Vous nous demandez… de continuer ?

– Non. Je vous l'ordonne. Et je veux un journal 100 % gratuit.

– Quoi ? s'étrangle Tom. Mais ce n'est pas possible, nous avons besoin de cet argent pour…

Madame Destouches remet son crayon en place.

– Vous venez de gagner 8 euros chacun. Pouvez-vous me rappeler quel était votre projet, à l'origine ?

– Partir… je fais d'une voix blanche.

– Ah oui ? Et où donc ?

Zhen me glisse un regard furtif, mais j'ai le temps de lire dans ses yeux ce que je refuse depuis le début de m'avouer – ce que me répète ma mère, Mathilde, tout le monde, en fait : que ça ne marchera pas. Que nous ne partirons jamais nulle part.

– Je vois, soupire madame Destouches après un silence embarrassant. Bon. Je vais vous dire ce qui vous attend. Première solution, vous continuez ce journal, vous le distribuez gratuitement à vos petits camarades – au besoin, je demanderai au CDI qu'elles vous aident pour les photocopies et le reste. Seconde solution… Il n'y a pas de seconde solution.

– Mais, madame, je dis, c'est pas juste : les vrais journalistes, ils gagnent de l'argent, eux.

– Les vrais journalistes sont adultes et diplômés. Leur production est vendue en kiosque ou diffusée sur Internet. Eux : professionnels. Vous : amateurs. Vous entendez la différence ? Amateurs doués, mais amateurs quand même. À présent, déguerpissez. Vous avez besoin de prendre l'air.

Avril - Mai

C'est elle qui nous ouvre la porte. Elle referme derrière nous, et nous errons dans les couloirs, abasourdis. Je me passe une main sur le visage.

– Elle est trop débile.

Zhen secoue la tête.

– Non, elle a raison.

Mais je ne l'écoute pas. Je descends les marches.

– Vous savez quoi ? je dis. J'arrête. J'arrête tout. Ça ne sert à rien. La seule vraie raison pour laquelle on voulait faire ce journal, c'était partir. Et on n'y arrivera jamais. Et on est là, à faire semblant d'y croire. Je ne sais pas, peut-être qu'on devrait... Peut-être qu'on devrait fréquenter d'autres gens.

– Tu as déjà commencé, lâche Tom, abattu.

– Ouais, eh bien, tu pourrais suivre mon exemple.

Excédée, je pousse la porte vitrée qui donne sur la cour. Zhen me lance quelque chose que je n'entends pas, que je ne veux pas entendre.

Je passe le restant de la journée dans ma bulle sans adresser la parole à quiconque. Au fond de moi, je sais que je suis injuste : ce que je leur reproche à eux, c'est à moi que c'est destiné, à moi seule. Mais rien à faire, je n'arrive pas à me calmer. Tout ce temps perdu. Ces espoirs déçus.

Après les cours, je file en salle de théâtre. Mathilde s'approche, préoccupée.

– Ça va ?

Ça va, oui : dès que je remonte sur scène. Je suis Mary, la servante, je suis quelqu'un d'autre et, pendant cinquante minutes, j'arrive à ne plus penser à moi. Le soir venu, je rentre à la maison tête baissée et fais mes devoirs en vitesse. Puis je dîne avec ma mère et je lui parle de la pièce, tout excitée, je lui parle d'un clochard que j'ai vu dans la rue pas loin de chez nous et que je voudrais aider – bref, je parviens à oublier ce satané journal, et c'est comme si les silhouettes de Tom et de Zhen s'éloignaient dans la brume.

Le lendemain matin, bizarrement, je suis en pleine forme. Je me dis que je vais aller les trouver, m'excuser, leur expliquer que tout ça n'est pas si grave.

Avril - Mai

Le problème, c'est que Zhen n'est pas là. Et soudain, ce qu'elle m'a crié dans la cour hier matin me revient en mémoire : « Moi, j'ai besoin de toi. »

C'est pourquoi, quand je retrouve Tom juste avant d'entrer en classe, je n'ai même pas besoin de lui poser la question. Croiser son regard me suffit. Cette fois, quelque chose de grave est arrivé.

TOM

Midi venu, Sarah et moi fonçons au CDI et allumons un ordinateur pour voir si des informations ont filtré.

Et des informations, il y en a. Dès le premier article, une photo du père de Zhen en gros plan, un peu floue. Il monte dans une voiture, sous escorte. Le texte est compliqué mais nous comprenons l'essentiel : il va être expulsé.

Ma main se crispe sur la souris, la main de Sarah se crispe sur la mienne.

– C'est pas vrai. C'est pas possible.

Ces derniers temps, nous avions cessé de poser des questions à Zhen sur la date de la décision concernant son père ; nous avions fini par reléguer l'événement dans un compartiment obscur de notre esprit. L'expulsion, nous ne voulions pas l'envisager. Comme si, en refusant de croire que le gouvernement français puisse prendre une décision aussi absurde, nous protégions notre amie du danger.

Madame Destouches avait raison. Nous avons été terriblement naïfs.

— Attends, va en bas ; il y a autre chose.

L'article n'est pas fini, le combat non plus. Une manifestation de soutien, écrit le journaliste, va être organisée ce soir devant le domicile du dissident où sa famille reste cloîtrée. La mère de Zhen avait récemment déclaré dans les médias que jamais elle ne laisserait repartir son mari seul pour la Chine. Conclusion ?

— Il faut y aller, dis-je.

Sarah hoche gravement la tête.

— C'est à 17 heures. Juste après les cours.

Avril - Mai

Le reste de la journée passe comme un songe. Madame Destouches lorgne la chaise vide de Zhen mais n'émet aucun commentaire.

Dès que la sonnerie retentit, nous nous précipitons dehors.

– Bon, dis-je, tu sais comment on y va ?

Nous étudions un plan de métro. C'est à six stations seulement, et c'est direct. Le problème, c'est que nous n'avons pas d'argent pour les tickets. Sarah s'approche de Mathilde, qui lit un manga à l'arrêt de bus. Je n'entends pas ce qu'elle lui dit mais elle revient avec un billet de 5 euros. Nous prenons deux tickets et nous descendons sur le quai.

Devant l'immeuble de Zhen, une foule s'est massée. De nombreuses associations ont répondu à l'appel, et des banderoles ont été déployées. Il y a des journalistes de radio, de télé, pas mal de policiers en uniforme. Tout a l'air de se dérouler dans le calme.

Nous nous frayons un chemin jusqu'au rang de devant et levons la tête vers le premier étage. Zhen est là-haut, quelque part, mais les rideaux sont tirés. « Qu'est-ce qu'on fait ici ? » est la question que ni Sarah ni moi n'osons nous poser.

Nous restons une demi-heure. Nous crions des slogans avec les autres. Nous montrons le poing. Nous sommes – d'assez loin – les plus jeunes de l'assistance.

– Excusez-moi, je peux vous parler une minute ?

Une jeune femme s'est glissée à nos côtés. Rousse, potelée, elle travaille, explique-t-elle, pour une chaîne d'information diffusée en continu sur le câble.

Nous la suivons à l'écart.

– Vous pourriez m'expliquer pourquoi vous êtes venus ?

Sarah m'adresse un regard hésitant, et je hoche la tête, déterminé. Nous lui racontons. Tout ou presque. Zhen est notre amie, déclarons-nous. Nous ne voulons pas qu'elle reparte en Chine, c'est hors de question.

Avril - Mai

– Et vous pensez qu'une manifestation va suffire ?

Elle prend des notes sur son carnet. Je toussote dans mon poing.

– En fait, dis-je, nous n'agissons pas qu'ici.

Elle incline la tête.

– Ah non ?

Je lui parle de *L'Impertinent*. Cette fois, Sarah écarquille les yeux.

– Un journal d'école ? Hé, mais c'est génial, ça !

Je m'emballe, la fièvre monte.

– Oui, dis-je, et nous sommes en train de préparer un numéro spécial sur son histoire. Pour qu'elle reste avec nous.

La journaliste noircit des pages à toute allure. Son intérêt grandit à vue d'œil.

– Et il sort quand, ce numéro ?

Je souris.

– Demain.

22 heures, dans la chambre de mon frère. Le retour à la maison a été agité. Mon père m'attendait, avec ma mère. Deux heures de retard. Ils étaient sur le point d'appeler la police.

Mon père ne m'a pas laissé une seconde pour m'expliquer. Il a commencé à crier – comme quoi j'étais irresponsable, comme quoi je leur créais des problèmes inutiles. J'ai crié plus fort, et je suis monté m'enfermer dans ma chambre.

Et maintenant, je suis là, assis en tailleur sur le lit de mon frère, et Camille, sa petite amie, à qui j'ai tout expliqué *aussi*, est sur le point d'appeler Sarah en se faisant passer pour notre mère. Parce que, punaise, il faut absolument que nous le sortions, ce numéro spécial !

– Chut !

La fiancée de mon frère se lève, tendue. Téléphone collé à l'oreille, elle nous fait signe de nous taire. Apparemment, c'est la mère de Sarah qui vient de décrocher. Camille dit qu'elle aimerait parler à Sarah, qu'elle n'est pas fâchée du tout mais qu'elle aimerait juste éclaircir certains points.

Avril - Mai

La mère de Sarah lui passe sa fille, et Camille me tend le combiné.

– À toi de jouer.

– Sarah… C'est moi, Tom. Essaie de t'isoler.

Un silence. Elle chuchote.

– Tom ! Mince, comment ça va ?

– Je me suis fait tuer et enterrer et déterrer et re-tuer encore, mais ça va.

– T'as vraiment raconté n'importe quoi à cette journaliste, hein ? Tu réalises que tu lui as donné rendez-vous demain devant l'école à 17 heures ? Qu'est-ce qu'elle va penser quand elle se rendra compte que le numéro spécial de *L'Impertinent* n'existe pas ?

Je souris.

– Rien, dis-je. Parce que nous allons faire en sorte qu'il existe.

– Quand ? Comment ?

– Maintenant. Mon frère et Camille vont nous aider.

Cette nuit-là, je me couche à 4 heures, après avoir fait semblant de me mettre au lit à 21 heures. J'ai écrit un article sur la Chine, deux articles sur Zhen (Zhen au collège, et pourquoi il faut absolument qu'elle reste en France), et un poème qui est la suite de l'un des siens. Sarah a concocté une BD sur la liberté d'expression, et s'est fendue de trois dessins magnifiques qu'elle nous a envoyés à 3 heures du matin en se glissant en catimini jusqu'au PC parental.

Camille relit l'ensemble, rédige une fausse lettre du courrier des lecteurs, et Mathieu met le tout en page à la vitesse de l'éclair. Mon frère toujours là. Le meilleur frère du monde.

Le lendemain matin, je tiens à peine debout, je m'endors à moitié pendant le cours d'anglais, et Sarah ne vaut guère mieux. Mais nous sommes heureux. Tellement fiers.

À l'heure du déjeuner, nous filons trouver madame Destouches en salle des profs et nous lui tendons la clé USB.

– Il faut que vous imprimiez ça, madame. C'est un PDF.

Dubitative, elle émet un claquement de langue.

– De quoi s'agit-il ?

Sarah insiste.

– Imprimez-le, s'il vous plaît. Un seul exemplaire suffira.

Madame Destouches agite un instant la clé comme si elle lui brûlait les doigts, et tourne les talons avec un soupir. Quand elle réapparaît, dix minutes plus tard, l'expression de son visage a changé du tout au tout. On y lit du respect. Un grand étonnement, aussi.

– Quand est-ce que vous avez fait ça ?

Sarah ne répond pas.

Entre nos mains tremblantes, le numéro spécial de *L'Impertinent*, barré d'un grand titre : POUR QUE ZHEN RESTE EN FRANCE.

À 17 heures, ce même soir, nous le remettons à la journaliste. Elle le serre contre son cœur.

– Merci, vous deux. Et merci pour elle, surtout.

Je vous promets qu'on va en entendre parler.

CHAPITRE 8

Juin

SARAH

L e rideau tombe derrière nous, et je souris pour ne pas pleurer. Main dans la main, nous nous inclinons et saluons une dernière fois. Ça y est, la pièce est finie, et c'est un triomphe. Et je suis triste, naturellement. Oh, comme j'ai aimé jouer ! Comme j'ai aimé être quelqu'un d'autre, provoquer des émotions, entendre des rires, surprendre des fronts plissés !

Dans les coulisses, nous tombons dans les bras les uns des autres, et madame Charbonnier nous embrasse un par un.

– Vous avez été éblouissants, mes chéris.

La salle, peu à peu, se vide. Ma mère est au

fond du couloir, là-bas, je l'aperçois de biais, elle discute avec Madame la proviseure. Il y avait des étoiles dans ses yeux tout à l'heure, et ça me plaît. Nous nous verrons plus tard.

Dans le hall, c'est la cohue. Des dizaines de parents, d'élèves – de petites sœurs et de grands frères – se bousculent. Journée portes ouvertes à Ronsard : accrochés à leur papa, à leur maman, les CM2 ouvrent de grands yeux, et mon cœur ne peut que se serrer parce que j'étais là, à la rentrée, exactement à leur place. Comme ils ont l'air petits et perdus vus d'ici !

Je file dans la cour. Partout, des élèves de notre classe distribuent des exemplaires du numéro 3 de *L'Impertinent*, celui où nous clamons notre joie d'avoir aidé la famille de Zhen à rester en France. En première page, une photo de Zhen qui, devant l'entrée du collège, fait le V de la victoire. « Libre ! » est notre grand titre. En page 2 s'étale un long article de Tom, qui explique à peu près tout ce qui s'est passé pour notre amie depuis ce fameux jour de la sortie du journal. Le reportage télévisé, la vague

Juin

d'indignation, les articles en tous sens, les débats et, en point d'orgue, l'intervention du ministre de l'Intérieur en personne, et la victoire.

Le père de Zhen restera en France avec sa famille, point final. Le jour où Tom m'a annoncé la nouvelle, je crois que je ne l'oublierai jamais. J'étais dans mon bain ; ma mère m'a passé le téléphone. J'étais tellement folle de joie qu'au moment de raccrocher j'ai laissé tomber le combiné dans l'eau. Et elle ne m'a même pas disputée.

Juin est là, et l'été a pris ses aises. Les arbres se parent d'un vert éclatant, ma mère porte des jupes et des talons hauts, nous faisons du vélo.

La sixième, dans quelques jours, ce sera terminé. J'ai encore eu les « encouragements ». J'espérais mieux, bien sûr, je m'étais *juré* d'avoir mieux, mais la fatigue de ces dernières semaines, l'excitation et mon étourderie naturelle ont joué en ma défaveur, comme dirait Tom.

C'est le moment des bilans, des bonnes et des mauvaises nouvelles. Les mauvaises, pour commencer :

• L'année prochaine, notre classe de sixième 6 va être dispersée. Bon, il y a quelques élèves que je ne regretterai pas mais, dans l'ensemble, j'avais fini par m'entendre avec quasiment tout le monde.

• Mon père ne reviendra pas à la maison à la rentrée ; sa mission locale a été prolongée, il l'a annoncé à ma mère au téléphone hier. Il sera là quand elle accouchera, et puis il repartira.

• Zhen est absente aujourd'hui. Le jour de la fête de l'école, le jour où son portrait trône en première page d'un journal tiré à, accrochez-vous, 500 exemplaires ! Et distribué aux parents d'élèves (avec ma BD de quatre pages, qui imagine deux scénarios : un où Zhen revient en Chine, l'autre où elle reste en France).

Les bonnes nouvelles :

• Eh bien, comme chacun l'a compris, Zhen reste en France ! C'est LE scoop fatal de l'année, loin devant tous les autres. Le problème, c'est que juste aujourd'hui, elle a une angine, cette maligne.

• Mon père rentre à la fin de l'année ! Plus que six mois à tenir ! Sa mission s'arrête juste avant Noël et il revient habiter avec nous et le bébé ! C'est pas génial, ça ?

• Tom, Zhen et moi, nous allons nous voir beaucoup plus. Nos mères se sont enfin rencontrées il y a quelques jours et, apparemment, elles sont devenues copines, et de grandes choses se préparent pour l'année prochaine, peut-être même des vacances ensemble à la Toussaint !

Maintenant, repérer Tom dans toute cette foule. Pas simple : l'été approche, et il n'a plus son écharpe rouge.

Une fille me tapote l'épaule. Tiens, tiens. Laura.

– Hé, j'ai pas eu le temps de te le dire, mais c'est génial, ce que vous avez fait. Tu crois que l'année prochaine vous pourrez me faire une petite place dans *L'Impertinent*, à moi aussi ?

C'est au moins la dixième à me demander ça. Je pourrais l'envoyer paître, mais je ne le fais pas. Tout me sourit aujourd'hui.

— Merci, je dis. Et, oui, on continue, tu penses ! Et on va même agrandir l'équipe. On en parlera à la rentrée, OK ?

Là-bas ! Tom, en train de discuter avec madame Destouches. Je devine ce qu'ils se racontent ; je n'y suis pas étrangère. Notre professeure a un rictus de malice en me voyant approcher.

— Et voici notre Mary nationale !

Je m'incline, main sur le cœur.

— Vous tombez bien, poursuit-elle. J'étais en train d'essayer de convaincre votre camarade de rejoindre la troupe de théâtre de madame Charbonnier l'année prochaine. Et rien à faire, il ne veut pas monter sur scène. En revanche, il est prêt à participer d'une autre façon.

Étonnée, je dévisage Tom.

Juin

– Comment ça ?

Madame Destouches croise les bras avec un air de triomphe.

– Votre ami a accepté de nous écrire une pièce. Je lui donnerai un coup de main pour le premier acte. Mais je pense qu'il a ce genre de talent.

Tom, auteur de théâtre ? Je n'arrive pas à y croire. Lui non plus, on dirait. Il regarde ailleurs, ses grands yeux bleus perdus dans le vague. Je n'avais jamais remarqué à quel point ce bleu était profond.

Je me frotte les mains avec enthousiasme.

– C'est génial ! je dis, et je suis sincère. Est-ce que tu sais déjà de quoi tu vas parler ?

Il se gratte un bras, hésitant.

– Je pensais écrire quelque chose sur Zhen, mais elle dit qu'elle n'y tient pas. D'après elle, on a déjà assez ressassé cette histoire et il est temps de passer à autre chose. Je crois qu'elle a raison.

Madame Destouches approuve.

– J'ai suggéré à Tom de choisir un sujet plus personnel.

L'intéressé fait la grimace.

– Je vais parler de mon grand frère, lâche-t-il. De la dépression. De la culpabilité.

Il se mord les lèvres.

Je lui serre le bras, plus qu'émue.

– Je ne sais pas quoi te dire… je murmure.

Lui non plus.

Alors, pour bien lui montrer que je serai toujours avec lui, qu'il écrive ou non, dans la joie et dans l'adversité, je fais quelque chose que j'aurais dû faire depuis bien longtemps, quelque chose que je n'ai pas réussi à faire le jour où je suis allé voir son frère avec lui à l'hôpital – et peu importe que madame Destouches soit témoin de cette scène : je le serre dans mes bras comme si je voulais lui faire craquer les côtes.

Mais rien ne craque. Il est solide, mon petit Tom, je le sais. « Je suis là », voilà ce que je lui souffle à l'oreille.

Juin

TOM

Les choses se passent rarement comme on le pensait. « Ne sous-estimez jamais la part du hasard susceptible de s'inviter dans vos vies », nous a conseillé un jour monsieur Allard, notre prof de maths. Sur le moment, personne n'a fait attention à ce que cela signifiait. Aujourd'hui, je comprends.

Il y a un an et demi – un soir de janvier –, nous attendions Jeremy pour dîner. Il venait de louer un petit appartement en banlieue, il était tout heureux, il nous avait dit qu'il prendrait la voiture pour venir. À une intersection, un scooter a déboulé. Mon frère était passé au feu orange ; il n'a pas eu le temps de freiner. Le scooter s'est envolé. Sa conductrice, une jeune fille de 19 ans, s'est fracassé le crâne sur le bitume. L'ambulance est arrivée en moins de dix minutes, mais ça n'a pas suffi. La jeune fille est morte. Elle est morte le lendemain à midi. Mon frère tournait comme un fauve en cage dans la salle d'attente. Je n'étais pas là quand il a appris la nouvelle, mais on m'a raconté. Il est tombé à genoux. Il a hurlé. Des infirmiers ont dû l'emmener de force.

L'enquête a révélé que l'accident n'était pas sa faute, que la victime roulait trop vite et sans casque. Mais il est clair que si Jeremy avait pilé au feu, elle vivrait aujourd'hui.

Pour lui, ça a été le début de la descente aux enfers. Il s'est mis à boire, à fumer, à négliger ses études. Trois mois après l'accident, on l'a retrouvé en pleine nuit, ivre et à moitié nu, chantant dans la rue. Des policiers sont arrivés et ont essayé de le calmer, il s'est débattu et, sur avis de notre médecin de famille, a été interné en hôpital psychiatrique.

Il y a eu des hauts et des bas après ça, mais une majorité de bas principalement, et mon frère n'est jamais sorti de l'hôpital plus de quelques jours.

Ces derniers temps, il allait mieux, on aurait dit que le bout du tunnel était en vue. Mais il y a trois semaines, deux jours seulement après le soir où on nous a appris que Zhen resterait en France, il a refait une de ses crises. Les médecins de l'hôpital affirment qu'il n'est pas près de sortir. Ils l'ont mis en cure de repos forcé. Mon père est rentré à la maison le soir même. Il a passé la nuit avec nous et plusieurs fois, je l'ai vu prendre ma mère dans ses bras. La nuit suivante, il est resté aussi. Il est toujours là aujourd'hui.

Je suis fier de plein de choses à propos de l'année écoulée.

Fier, par exemple, d'avoir fini premier de ma classe tout en ayant réussi, au-delà du syndrome demi-portion, à ne pas trop me faire détester des autres élèves, si j'en crois le cahier que j'ai donné à signer à l'ensemble de la classe.

« Petit Tom, tu ne souris presque jamais mais t'es le type le plus génial que je connaisse. » Mathilde

« J'espère qu'on sera de nouveau ensemble l'année prochaine et que je te mettrai encore ta raclée au ping-pong. » Corentin

« Tu veux que je te fasse un dessin ? » Sarah

« J'espère que ça va aller pour ton frère. On n'a pas eu le temps de devenir vraiment amis mais tu es quelqu'un de super je crois et j'espère qu'on se connaîtra mieux. » Pauline

Fier aussi, et surtout, de ce que nous avons fait pour Zhen. Même si je ne suis pas fou au point de croire que notre intervention a tout changé, il me semble, comme l'a déclaré la journaliste à la télé, que nous avons apporté notre pierre à l'édifice. Ah, et puis nous sommes parvenus à faire sortir la maman de Zhen de chez elle. Ce n'est pas rien, ça non plus ! Quant à l'année prochaine… Il va se passer tellement de choses, l'année prochaine… Déjà, j'ai cette pièce de théâtre à écrire. Je sais, je suis fou de m'être lancé un défi pareil. Et puis il y a *L'Impertinent*, le journal qui ne mâche pas ses mots. Impossible de le laisser tomber désormais, d'autant que tout le monde veut participer – même madame Destouches, qui signera l'éditorial de rentrée.

Alors voilà. Le dernier jour de collège vient de s'achever, et Sarah est rentrée chez elle. C'était bizarre, devant Ronsard, ce soir. Personne ne voulait partir et il y avait plein de filles en larmes. Dans la vie, décidément, on ne sait jamais très bien quand on doit pleurer. C'est sans doute ça qui rend les choses si intéressantes.

Zhen manquait toujours à l'appel – malade, nous avait-on prévenus, avec de la fièvre et des courbatures, plus un mal de gorge horrible. Sa mère nous a invités à passer la voir en début de semaine prochaine, quand elle sera rétablie. On ne va pas se gêner !

Le soir tombe, les nuages rosissent, un chien jappe dans la cour d'en face. Je suis assis sur la première marche du perron et je regarde la vie comme elle va en sirotant un Coca. Mes parents vont-ils rester ensemble ? Mystère. Mon père dort toujours sur la mezzanine mais ni lui ni ma mère ne parlent plus de divorce.

Demain, samedi, nous allons tous rendre visite à Jeremy. Bon sang, qu'est-ce que je ne ferais pas pour qu'il aille mieux ! Est-ce que je suis censé prier quelqu'un, quelque chose ? Je ne sais même pas si je crois en Dieu.

La porte s'ouvre ; je me retourne. Mathieu et Camille, le couple de l'année. Ils s'assoient, m'encadrent, et mon frère passe un bras par-dessus mon épaule. Il me tend un combiné de téléphone. Je hausse un sourcil interrogateur.

– C'est pour toi, p'tit mec.

Je colle l'écouteur à mon oreille.

– Allô ?

Zhen !

– Hé ! Comment vas-tu ?

Elle toussote.

– Mieux. Enfin, plus ou moins. Fichu virus.

– On ne dit plus trop « fichu », tu sais. Pas si on a moins de 80 ans.

Juin

– J'ai trouvé le mot dans le dictionnaire.

Toujours ce petit rire.

– Et toi ? demande-t-elle. Comment est la famille ? Ton frère ?

– Eh bien…

Mathieu fait un signe à Camille et ils se lèvent tous les deux, adorables – ils descendent dans la rue main dans la main et le crépuscule est si beau qu'il me donne envie de pleurer.

– Je prie pour lui, tu sais.

– Tu… pries ?

– Si je suis toujours ici, c'est grâce à toi, Tom.

Alors maintenant je dois t'aider aussi. De toutes mes forces.

Ah, fichues larmes !

Je ne sais pas quoi répondre à ça.

– Tu avais trouvé mon poème ? Dans ton sac, oui ?

Mon cœur bat plus fort. Je fredonne :

– « Aucune île assez lointaine, nulle étoile, nulle grande scène… »

Sa voix se fait presque inaudible, à présent.

– Tu sais comment on dit « je t'aime » en chinois ? Tom ?

Mathieu se tourne vers moi, sourire aux lèvres, comme s'il avait tout deviné, et un soleil majestueux sombre lentement derrière les tours, et je veux croire que l'avenir ressemble à ce soir.

Lexique

PAGE 6

Pierre de Ronsard : poète français du XVIe siècle,
auteur du poème *Mignonne, allons voir si la rose…*
Il fut membre de la Pléiade, un groupe de poètes
qui s'inspirait des chefs-d'œuvre de la littérature
antique pour écrire leurs textes.

PAGE 8

Louis-Ferdinand Céline : Louis-Ferdinand Destouches
de son vrai nom, auteur français célèbre pour son livre
Voyage au bout de la nuit écrit au début du XXe siècle.
Il y raconte de façon romancée sa vie de soldat
pendant la Première Guerre mondiale.

PAGE 11

***1984* :** roman écrit au milieu du XXe siècle par
l'écrivain britannique George Orwell, dans lequel
les personnages n'ont quasiment aucune liberté
à cause d'un régime politique totalitaire (très strict).

PAGE 15

Le Seigneur des anneaux : trilogie réalisée par Peter Jackson entre 2001 et 2003, d'après les romans écrits par le Britannique John Ronald Reuel Tolkien au début du XXe siècle. Les trois tomes intitulés *La Communauté de l'anneau*, *Les Deux Tours* et *Le Retour du roi* se déroulent dans une région imaginaire nommée Terre du Milieu. L'auteur a créé tout un monde peuplé d'elfes, d'orques, de nains et d'autres créatures fantastiques qui parlent plus de vingt langues qu'il a inventées lui-même !

PAGE 24

Victor Hugo : écrivain français considéré comme l'un des plus grands auteurs du XIXe siècle. *Notre-Dame de Paris* et *Les Misérables* sont ses œuvres les plus célèbres. Il est également connu pour ses grands discours politiques, notamment pour son combat contre la peine de mort.

PAGE 69

Marcel Pagnol : écrivain français connu pour avoir raconté son enfance en Provence dans une autobiographie parue au début du XXe siècle *(La Gloire de mon père*, *Le Château de ma mère*, *Le Temps des secrets)*.

PAGE 79

Homère : le plus ancien poète dont nous pouvons lire les œuvres aujourd'hui. Il aurait vécu en Grèce au IXe siècle avant Jésus-Christ. Ses récits les plus célèbres sont l'*Iliade* (qui raconte la fin de la guerre de Troie) et l'*Odyssée* (qui raconte le difficile retour d'Ulysse chez lui après cette guerre).

PAGE 88

La Cantatrice chauve **:** pièce de théâtre écrite par Eugène Ionesco en 1950. Pour écrire cette pièce, l'auteur s'est inspiré de sa méthode d'anglais : amusé par les phrases absurdes qu'on lui proposait de répéter pour s'entraîner, il eut l'idée de rédiger des dialogues sans rapport les uns avec les autres.

PAGE 94

Ovide : poète latin né à Rome en 43 avant Jésus-Christ. Son œuvre la plus connue s'intitule *Les Métamorphoses*. Elle est composée de poèmes qui racontent les transformations d'hommes et de héros en animaux ou en plantes.

Merci & lots of love *à :*
Karine, sans qui ce livre n'existerait pas du tout-du tout.
Servane, qui a si bien repris le flambeau.
Alice, ma Sarah à moi.
F. C.

ISBN : 978 2 8096 5098 3
Dépôt légal : septembre 2014
Imprimé en Espagne par Rodesa sur des papiers
issus de forêts gérées de manière responsable.

Illustration de couverture : Sanaa K.

Nous tenons à remercier pour leur contribution à cet ouvrage :
Mathilde Audinet, Marjorie Baudry, Maylis Bellamy-Brown, Maud Boulin,
Jean-Louis Broust, Gaétan Burrus, Servane Champion, Elsa Duval, Laure Maj,
Karine Marigliano, Catherine Schram, Marjorie Seger, Isabelle Southgate,
Nathalie Tran, Karine Van Wormhoudt, Marie-France Wolfsperger,
IGS pour la photogravure.